Best wishes

UNA AUTOBIOGRAFIA

Jay Van Andel

Una vida emprendedora

Time & Money Network Editions
BUENOS AIRES - ARGENTINA

© 1998 by JAY VAN ANDEL

Titulo original: "AN ENTERPRISING LIFE , An Autobiography".

Traducción al español: Fernanda Angueira.

Es traducción autorizada de la edición redactada en idioma inglés publicada
por HARPER COLLINS PUBLISHERS, Inc., 10 East 53rd Street, New York, NY
10022, U.S.A.
Traducción aprobada por AMWAY CORPORATION U.S.A.

Corrección literaria al español: Iris Mirta Mier - Cecilia Larrosa Mazzeo.

Adaptación de diseño de portada para la edición al español (por autorización
de Harper Collins Publishers): Aníbal Curutchet.

Queda hecho el depósito que establece la ley 11723

© 1998 por JAY VAN ANDEL
© 2000 por JORGE H. TAMARIZ NAVARRO. Sello Editorial: TIME & MONEY
NETWORK EDITIONS para esta edición.

Edita: TIME & MONEY NETWORK EDITIONS.
Av. Rivadavia N° 6351, Torre 2 piso 20 - D (1406) Buenos Aires - ARGENTINA.
Editorial abocada a la difusión del Network Marketing.

Edición efectuada bajo licencia de HARPER COLLINS PUBLISHERS, Inc.

ISBN 987-97024-4-1 : Time & Money Network Editions.
ISBN 0-88730-997-6 : Harper Collins Publishers, Inc.

Impreso en Argentina.
Printed in Argentina.

COMO HACER SU PEDIDO

Copias adicionales pueden ser ordenadas a:

TIME & MONEY NETWORK EDITIONS

Av. Rivadavia 6351 Torre 2, piso 20° "D" (1406) Buenos Aires.

Tel/fax 4631-1280.
E-mail : jtamariz@ciudad.com.ar
Web site: http.//www.timemoneynet.com
http.//www.timemoneynet.com.ar

ARGENTINA

En su solicitud incluya el uso que se le dará al libro y el número de ejemplares que desea adquirir.

A Betty, mi esposa y más querida amiga.
Su devoción y lealtad han sido las anclas
que me mantuvieron seguro
cuando las tormentas de la vida me amenazaron.
Su vívida fe y amor eterno constituirán
su legado para nuestros hijos y nietos.

CONTENIDO

AGRADECIMIENTOS

He descubierto que no es tarea fácil capturar las memorias, experiencias personales y eventos de setenta y tres años de vida.

Ha sido un esfuerzo lento, tedioso, pero personalmente gratificante. Este libro nunca hubiera llegado al escritorio del editor sin el apoyo leal y confiable de muchos amigos, confidentes y colaboradores.

Estoy muy agradecido a Bill Nicholson, Billy Zeoli y Casey Wondergem, cuyos ruegos e insistencias me impulsaron a publicar finalmente la historia de mi vida y mis creencias, y un agradecimiento especial al Dr. Luis Tomatis, que me animó a lo largo del camino.

El esmerado esfuerzo de investigación, de examinar cajas, archivos y cassettes de video acumulados a lo largo de cincuenta años de "almacenamiento" fue hecho por Sharon Stanford y estoy agradecido por su persistencia.

Sería negligente de mi parte si dejara de agradecer a mis cuatro hijos, Nan, Steve, Barb y Dave, por sus meditadas entrevistas de investigación, que ayudaron a llenar los huecos de algunos de mis recuerdos.

Ha sido de gran valor el consejo y la guía del editor jubilado Peter Kladder, que nos acompañó a lo largo de las complejidades de la producción de un libro. También deberían extenderse los agradecimientos a Lyn Cryderman, editor asociado de Zondervan y a Laureen Rowland, editor sénior de Harper Collins, por su asistencia en la edición y por sus sugerencias editoriales.

Estoy en deuda con el Padre Robert Sirico del Instituto Acton, por las conversaciones que mantuvimos durante los últimos dos años que ayudaron a delinear este libro, y con el resto del personal de Acton, particularmente con Timothy Terrell, cuya asistencia editorial fue invalorable para el proyecto.

Y por sobre todas las cosas agradezco a Dios Todopoderoso por darme la salud y la fuerza para relatar esta crónica personal de mi pasión por la vida, por mi familia y por mi fe.

Rich DeVos,
Cofundador de la Corporación Amway

Sociedades comerciales como las que tuve con Jay durante tantos años son raras en el mundo de los negocios. Muchas sociedades se ven debilitadas por el egoísmo, la codicia y la deslealtad, pero Jay y yo construimos nuestra relación en base al respeto y cuidado mutuo. Nuestra relación comercial tuvo como fundamento una amistad sólida y un legado religioso en común. Nos comprendíamos porque nos habíamos visto en ambientes no comerciales. Teníamos confianza mutua porque ambos habíamos aprendido de padres cristianos acerca de la honestidad y la fidelidad. Cuando emprendimos varias aventuras comerciales en nuestra juventud, algunas fueron exitosas y otras no, pero yo aprendí a conocer las fuerzas y las debilidades de Jay y él aprendió a conocer las mías. Cuando iniciamos Amway en 1959, ya habíamos desarrollado un respeto mutuo profundamente arraigado que duraría toda la vida.

Desde mi jubilación de Amway en 1992, los lazos de amistad entre Jay y yo siguieron siendo fuertes. Cuando enfrenté problemas de salud Jay estuvo conmigo como ayuda y apoyo. Mi respeto hacia Jay se incrementó aún más al ver su generosidad con la comunidad y la ayuda consecuente y abnegada que le brinda a su esposa Betty a raíz de los problemas de salud que ella atraviesa. Su carácter moral y el amor a la comunidad y a su familia se muestran ahora más claramente que nunca.

Toda la vida de Jay ha sido un balance armónico entre la capacidad de hacer negocios y el comportamiento moral. Por eso este libro es tan importante. Muy poca gente ve la capacidad empresarial como un esfuerzo moralmente honorable. ¿Cómo puede un hombre de negocios estadounidense o de cualquier otra parte del mundo compatibilizar su vocación empresarial con sus obligaciones morales? ¿Qué puede hacer un empresario para cuidar de sus vecinos, su familia y el medio ambiente?

Jay y yo siempre hemos creído que la mejor manera de expandir el bienestar humano en el presente, de proveerles sostén a nuestros hijos, y de reducir el uso excesivo de recursos ambientales es alentar la libre empresa. Jay cree firmemente que la libre empresa es necesaria para que cualquier nación progrese y ha hecho mucho para fomentar el establecimiento de la libre empresa en todo el mundo. Mediante este libro, Jay revela algunas de las batallas y triunfos del hombre emprendedor en una nación muy poco convencida de la pureza moral del ideal de la libre empresa.

Cualquier nación que no provea un ambiente de trabajo agradable para los emprendedores verá su crecimiento detenido mientras su gente languidece en una economía estancada. Aquellos países que les quiten los grilletes a los emprendedores y les permitan generar riqueza, verán que el bienestar de su gente aumenta a pasos agigantados cada año. Los distribuidores de Amway, al comenzar sus propios negocios independientes, no son menos emprendedores de lo que fuimos Jay o yo cuando empezamos con Amway. En aproximadamente ochenta países y territorios, estos distribuidores actúan como embajadores de la capacidad empresarial. En países que no son enteramente propensos a la libre empresa, esta gente está ayudando a revelar los verdaderos beneficios de la libre empresa.

Indudablemente, Jay ha ejemplificado el espíritu filántropo en nuestra ciudad natal, Grand Rapids, Michigan. Al donar con frecuencia y generosidad, Jay ha hecho que Grand Rapids sea un mejor lugar donde vivir. Para nosotros dos, donar es una tradición y hemos transmitido la misma a nuestros hijos. El máximo logro filantrópico de Jay es el Instituto Van Andel de Investigación y Educación (Van Andel Institute for Research and Education), que traerá importantes adelantos en investigaciones médicas en el oeste de Michigan. Los avances logrados en la medicina gracias al apoyo de Jay y Betty mejorarán la vida de muchas personas, incluso de aquéllas que todavía no han nacido.

Todo relato de la vida de Jay debe incluir gran parte del origen y crecimiento de Amway, que la llevó a ser la empresa de productos de consumo masivo de 7.000 millones de dólares de facturación anual que es hoy en día. Pero el objetivo que persigue Jay con este libro no es contar la historia de Amway en el contexto de la historia de su propia vida. Los pensamientos y actividades de Jay se han expandido mucho más allá de Amway. Él se siente cómodo discutiendo sobre economía, política, ingeniería y estrategia comercial, y lo hace con inteligencia, historias cautivantes e ingenio adusto.

Agradezco a Dios por un socio como Jay.

Paul Harvey, comentarista de noticias en radio para la cadena ABC

Durante medio siglo he conocido a Jay Van Andel como un gigante silencioso al punto que temía que sus experiencias conmovedoras e inspiradoras nunca serían relatadas adecuadamente.

Finalmente han sido registradas y en sus propias palabras.

¡Qué historia!

Hace mucho tiempo, cuando Jay era un estudiante, le ofreció a un compañero de clase llevarlo todos los días al colegio en su Ford Modelo A, a cambio de veinticinco centavos por semana para combustible.

Ese día Jay demostró su temprana perspicacia como emprendedor.

Ese compañero era Rich De Vos.

De esa amistad épica nació Amway.

Jay Van Andel fue confidente de varios de los más importantes jefes de estado del mundo. Bien podría haber sido elegido o designado para cualquier cargo público de su elección.

Nadie nunca amó tanto a su país, pero la elección de Jay fue Amway.

En estas páginas usted va a compartir la herencia de su enorme reserva de experiencia.

Y lo que es más importante y más oportuno aún: usted aprenderá que un *buen hombre de negocios* puede ser un hombre de negocios *"bueno"*

Necesitamos más recordatorios de ello.

Estaba exactamente ahí en el medio de la mesa, pero yo no podía alcanzarlo. Podía imaginar mi brazo extendiéndose para superar la corta distancia hasta el plato y mi mano tomándolo y trayéndolo más cerca para que yo pudiera cenar. Pero mi cuerpo parecía perezoso, lento para responder a mis deseos.

Ya no soy un hombre joven. Cuando lo era, formé un equipo con otro joven y decidimos probar nuestra mano para los negocios. Luego de varios intentos inciertos —algunos exitosos, otros no— comenzamos un negocio en los sótanos de nuestros hogares en Ada, Michigan, algunos kilómetros al este de Grand Rapids. Funcionó lo suficientemente bien como para que los expertos de *Forbes* y *Fortune* nos incluyeran en las listas de las personas más ricas de Estados Unidos.

Como la mayoría de las historias sobre éxito, la mía está llena de cosas positivas y negativas, que les voy a contar en este libro. Les contaré cómo intentamos iniciar una aerolínea con aviones que tendían a quedarse sin combustible. Les contaré cómo decidimos que el jabón era mejor producto para vender que el pan. Les contaré cómo creamos el plan que les ha dado una mejor vida a los tres millones de distribuidores de todo el mundo que venden nuestro producto. Y les contaré la verdad sobre nuestras batallas con el gobierno y la prensa.

Si está buscando una poción mágica —un artilugio seguro que lo haga millonario de la noche a la mañana— está buscando en el lugar equivocado. De hecho, se sorprenderá cuando sepa cómo llegué al lugar donde estoy hoy. Tiene mucho que ver con ese plato en el medio de la mesa.

Por mucho que lo intentara, no podía alcanzarlo. La mayoría de los días los síntomas de este estado frustrante son menores. Este no era uno de esos días. Bastante perturbador, sobre todo cuando se ha vivido una vida activa y vigorosa como la mía. Una de las características universales de un empresario es la capacidad de lograr que las cosas sucedan y a lo largo de los años me he encargado de ayudar a que muchas cosas buenas comiencen a existir. El éxito de nuestra empresa ha permitido que Rich y yo construyamos fábricas y laboratorios de investigación que abarcan más de cuatro millones de metros cuadrados en ochenta edificios diferentes. Hemos ayudado a reconstruir la zona céntrica de nuestra ciudad, con un nuevo hotel, museo, estadio deportivo, acuario y clínica, y hemos auspiciado numerosos eventos en los ámbitos de la cultura y de las bellas artes. No menciono esto para vanagloriarme sino para ayudar a ilustrar lo frustrante que fue para mí no poder tomar ese plato.

Afortunadamente, estaba cenando con un amigo muy cercano que se dio cuenta de mi batalla y sin decir una palabra, se estiró hasta el plato y lo empujó hacia mí. Con ese pequeño acto, ilustró un profundo concepto de negocios que Rich De Vos y yo hemos practicado desde el comienzo: trabajo en equipo. Nuestra compañía no estaría donde está ahora sin la ayuda de otros. Rich y yo de alguna manera sabíamos que nos necesitábamos el uno al otro para triunfar. De hecho, dudo que existiera Amway si alguno de nosotros hubiera intentado crearla solo. Una vez que comenzamos, aprendimos que compartir oportunidades

con otros que quieren triunfar y no le tienen miedo a un poco
de trabajo arduo, es el camino más seguro a la cima. Hemos
construido una empresa de productos de consumo masivo de
siete mil millones de dólares en ventas con la ayuda de ciudadanos enérgicos de casi ochenta naciones y territorios de todo
el mundo: ¡Uno de los mejores equipos en la historia del negocio
internacional!

Pero este libro es más que la historia de Amway. Ya se ha escrito
mucho sobre el éxito único de nuestra empresa y sobre la gente
que ha logrado mayor seguridad financiera y realización personal gracias a ella. Aunque les contaré muchas historias que no
escucharon antes, este libro es en realidad sobre ideas, los
principios que permiten que esfuerzos empresariales como
Amway florezcan. Si lo único que rescata de este libro son los
hechos de mi vida y la historia de Amway, usted no habrá captado
el sentido. Para mí es menos importante que usted sepa lo que
hice, que por qué lo hice.

Aunque soy un emprendedor antes que nada, he pasado
muchos años desarrollando actividades políticas de algún tipo
(algunos incluso dirán que para ser un empresario exitoso es
mejor que uno preste atención a la política). Me he hecho amigo
de príncipes y presidentes, he sufrido en extremo debido a reglas
y ordenanzas sin sentido y he apoyado impuestos y derechos
arancelarios más bajos. Durante muchos años trabajé para la
Cámara de Comercio de los Estados Unidos y fui su presidente
durante uno de esos años. Créanme, ¡Washington no se ve mejor
desde adentro! Pero no hace bien quejarse; por ese motivo parte
de mi libro desplegará algunas de mis creencias políticas y cómo
intenté usar mi riqueza para apoyar esas creencias en el escenario
político.

También espero que terminen este libro con una idea apro-
ximada de cómo la economía de mercado y la moralidad encajan.
El sistema de la libre empresa y los valores morales tradicionales
no están enfrentados entre sí: son perfectamente compatibles,

a pesar de lo que puedan decir algunos críticos. Estoy preocupado por la imagen que se tiene de los negocios exitosos y de quienes los manejan, principalmente la imagen que muestran críticos inclinados hacia la izquierda, para quienes la ideología es un obstáculo en el camino de su objetividad.

Aunque cualquiera puede oponerse a la libre empresa y al capitalismo basándose en unos pocos ejemplos aislados de exceso y codicia, la verdad es que la mayoría de los negocios exitosos dependen de valores tradicionales como integridad, honestidad y compasión; y devuelven mucho más de lo que toman. De hecho, los efectos secundarios de las grandes fortunas son ese tipo de cosas de las que cualquiera es libre de beneficiarse.

El gobierno, con sus presupuestos gigantes, nunca puede sustituir a individuos trabajadores y caritativos. Ningún gobierno tiene tanto contacto con las necesidades de la comunidad como el que puede tener un habitante de esa localidad. Ningún gobierno posee la flexibilidad y la sensibilidad de percibir esas necesidades como un filántropo sabio. Ningún gobierno puede demostrar verdadera fe en una ciudad o inspirar a la gente como lo puede hacer la generosidad privada. Pero hay algo aún más importante: un filántropo dona su propio dinero, no el de otra persona.

Finalmente, necesito ser directo con ustedes sobre la fuente que me provee la mayor ayuda: mi relación personal con Dios. Sé que la religión puede ser un tema controvertido y que no todo el mundo piensa como yo. Aunque no es mi intención convertirle ni criticar sus creencias, no puedo escribir un libro honesto sin referirme a mi fe y a cómo ha dado forma a cada decisión empresarial que yo he tomado.

De hecho, a medida que el tiempo pasa me doy más cuenta de la verdadera fuente de mi energía. Nosotros los humanos —especialmente los que somos emprendedores— nos resistimos a la dependencia, pensando que de alguna manera podemos encontrar nuestro propio camino, sostenernos a nosotros mismos y mantener el progreso sin la intervención continua de Dios en nuestras vidas. Por más independiente y autosuficiente que me sienta mientras esté bien de salud, mi negocio florezca y mi familia esté bien, todas estas son bendiciones que provienen de la mano de Dios. Él puede decidir sacarnos algunas de estas cosas buenas por un tiempo para enseñarnos cómo amarlo y confiar en Él en nuestra debilidad, ya que siempre somos débiles y vulnerables, aún cuando pensamos que todo está bien. Es importante recordarlo ya que es a través de nuestra vulnerabilidad que Dios puede mostrarnos que su fortaleza es nuestra fortaleza.

Luego de saber cuáles eran mis intenciones al escribir este libro, muchos de mis amigos me hicieron preguntas sobre el mismo. Se preguntan si será la historia de Amway o un libro sobre mis creencias políticas o una autobiografía. ¿O será un libro de autoayuda? ¿O el relato de un viaje? ¿O un libro inspiracional?

En realidad, es todo eso, y más, porque lo que realmente quería hacer era contar una historia. Una historia sobre el potencial de cada ser humano que tiene la fortuna de vivir en libertad, que está dispuesto a trabajar duro, que no le tiene miedo al fracaso, que permite que Dios lo guíe y que tiene la suficiente humildad para aceptar una mano que lo ayude. En pocas palabras, esa es la historia del éxito verdadero. Es posible que no siempre termine en riqueza material, pero siempre traerá felicidad y paz interior.

CAPITULO 1

La oportunidad llama

Todo empezó con una quiebra.

Mi abuelo trabajaba día y noche para tratar de mantener a flote sus tres bicicleterías y una herrería en la ciudad holandesa de Haarlem. Pero en 1909 cerró sus negocios con renuencia, sin estar seguro de lo que haría para mantener a su familia. Su hermana ya había emigrado a Chicago, y cuando ella se enteró de su mala situación lo instó a venir a la tierra de la oportunidad. Por lo tanto en 1910, a los cincuenta años, mi abuelo Christian llevó a su esposa Elizabeth y a sus hijos James (mi padre) y Christian a Chicago. Para toda una generación de hombres como mi abuelo, Estados Unidos ofrecía una oportunidad de darle una mejor vida a sus familias.

Una vez que llegaron a los Estados Unidos, Christian consiguió trabajo pintando vagones Pullman de ferrocarril en una fábrica de Chicago. Sin embargo, las condiciones laborales al poco tiempo le causaron problemas de salud y, debido a eso y a su desconocimiento del idioma inglés, Christian se dedicó a la agricultura. James, mi padre, más joven y con más capacidad de adaptación, se dedicó de lleno al floreciente negocio automotor. En 1921 abrió una concesionaria de automóviles en Holland, Michigan, con vehículos Gray, Chevrolet e International. Once años después se asoció a John Flikkema, otro holandés, y se expandió a Chrysler y Plymouth. De hecho, si ustedes se dirigen hacia el norte por la ruta interestatal 96 verán que Van Andel y Flikkema siguen vendiendo automóviles sobre la avenida Plainfield en Grand Rapids.

Mi papá se casó con Petronella ("Nellie") Van der Woude, de Holland, Michigan, y el 3 de junio de 1924 nací yo, en el apartamento que habitaban sobre el Cherry Inn de Grand Rapids (que todavía existe). La mayoría de los recuerdos de mi temprana infancia se centran alrededor de nuestro hogar en la calle Dickinson cerca de Boston Square en la zona sudeste de Grand Rapids, adonde nuestra familia se mudó cuatro años después. Había muchas familias numerosas con hijos pequeños con quienes podía jugar después de clases y todos los días libres, excepto parte del sábado y todo el domingo. El sábado era el día de catequesis para los niños que, como yo, eran criados en la Iglesia Cristiana Reformista, una denominación Protestante bastante estricta que se remonta a Calvino. Los domingos había dos servicios religiosos y tenía que usar ropa de misa todo el día, lo que evitaba que jugáramos al fútbol o peleáramos durante ese día sagrado. Muchos de los niños de la ICR íbamos a una escuela dominical cercana dictada por la entusiasta señorita Goossens, donde aprendíamos los principios fundamentales de la fe reformista. Dos distinciones básicas de las iglesias reformistas eran el énfasis en la soberanía de Dios y la responsabilidad del hombre de vivir con fidelidad de acuerdo a la palabra de Dios en cada aspecto de su vida; y cuando ahora miro hacia atrás debo decir que todas mis creencias políticas, económicas y empresariales provienen de esos dos principios de mi formación religiosa.

Aprendíamos que ser cristiano era más que asistir a misa y a la escuela dominical. Incluía vivir de acuerdo a los valores bíblicos de honestidad, generosidad y respeto por otros en nuestra vida diaria. Recuerdo haber encontrado una moneda de diez centavos en un callejón cercano a nuestra casa. En esos días, diez centavos eran bastante dinero y entonces le conté a mi madre mi hallazgo. Me pidió que fuera casa por casa en esa calle para saber si alguien había perdido ese dinero. Puede parecer tonto hacer algo así hoy en día, pero al principio de la década de los treinta mucha gente estaba sin trabajo y podían sentir la ausencia de diez centavos. Para mi madre fue una oportunidad de enseñarme la importancia de respetar la propiedad de otras personas. Finalmente, no encontré a nadie que reclamara el dinero y me permitieron quedármelo.

Mi padre y mi madre eran devotos creyentes y el hogar Van Andel se manejaba de acuerdo a elevadas pautas de moralidad. Mi padre, siguiendo la tradición holandesa, consideraba que el trabajo era el deber de un cristiano. Reparaba y vendía automóviles para mantener a su familia y para dar gloria a Dios. Nos enseñaron que también vivíamos nuestra fe cristiana de acuerdo a cómo hacíamos nuestro trabajo. Manejar su negocio en una economía deprimida era una exigencia que lo mantenía mucho tiempo lejos de casa, pero su ejemplo y su trabajo me motivaron a aplicar la fe en cada aspecto de mi vida.

De mi padre proviene gran parte de mi personalidad y de mi filosofía comercial. A veces mi padre podía parecer frío o rudo, pero quienes lo conocían bien descubrían que era un hombre cariñoso, dedicado a su familia y a su comunidad. Su relación con mi madre fue un modelo para la relación que tengo con mi esposa Betty. El amor de papá y su corazón servidor para con ella duró a lo largo de todo su matrimonio. Cuando mi madre, ya mayor, sufrió una enfermedad degenerativa que la mantuvo postrada, mi padre demostró verdadera virtud cristiana al cuidarla en persona. Por supuesto, en ese momento yo no sabía cuánto necesitaría aprender de esa lección.

Mi madre era descendiente de holandeses frisones y provenía de una familia con nueve hijos. Su padre había quebrado en los Países Bajos, al igual que su suegro, y la familia Van der Woude emigró a los Estados Unidos para comenzar de nuevo. El señor Van der Woude se convirtió en diseñador de casas y constructor; y la joven Nellie aprendió todas las labores hogareñas que se les enseñaba a las niñas en esa época. Mi madre era una cocinera sobresaliente. Uno de mis platos favoritos era el "boercole" o repollo campesino, hecho con papas y col, sobre una base de salsa. Era la comida ideal para calentarnos en las noches heladas de Michigan.

Sin embargo, mi madre no era el tipo de persona que se pasaba todo el tiempo cocinando y haciendo las tareas del hogar. No tenía un puesto de trabajo formal, pero usaba su energía en cosas positivas de mil maneras distintas. Mi madre tenía su propio automóvil, algo poco común para una mujer en la década de los treinta, y eso le daba libertad para participar en toda clase de actividades útiles fuera de casa. Estaba involucrada en casi todas las actividades de la iglesia, y pertenecía a muchas organizaciones comunitarias, la mayoría de naturaleza caritativa. De mi madre aprendí la importancia de involucrarse con la comunidad. Ella consideraba el servicio a otros como un aspecto central de un servicio todavía más importante a Dios.

Desde mi temprana infancia, en mi hogar y en la escuela, aprendí que el único cimiento verdadero para la fe y la vida es la palabra de Dios. Hoy en día esta visión está fuera de moda y aquellos que apoyan la creencia exclusiva son ridiculizados. "Tolerancia" es la palabra clave de estos días, pero parece haber tomado un nuevo significado. Se nos alienta a tolerar todo, por extraño que sea, excepto la idea de que existe un solo camino para la salvación del pecado. Eso, junto con todas las otras doctrinas tradicionales, no puede tolerarse. Lo que realmente defienden quienes se oponen a la fe religiosa es un tipo de intolerancia: intolerancia a la idea de la verdad y de nuestras responsabilidades ante Dios. Por eso tales prácticas como la oración en las escuelas, común en una época, ya no se permiten. La oración sugiere una creencia en ciertas verdades que no cambian.

La escuela cristiana Oakdale, en la calle Fisk, era la alternativa a la escuela pública para los niños de mi barrio. Era una buena escuela y muchos padres se sacrificaron incluso durante los duros años de la depresión para darles a sus hijos una educación en Oakdale. Nos enseñaban las cosas tradicionales, como lectura, escritura y aritmética, con los métodos de aquella época comprobados por el tiempo. También aprendimos a maldecir. El director George Van Wesep (y padre de Helen DeVos) a veces nos mostraba películas clásicas y cuidadosamente censuraba las partes ofensivas poniendo su mano delante del proyector. No se dio cuenta de una línea famosa, dicha por un oficial británico en una película sobre la Guerra por la Independencia de los Estados Unidos, y durante semanas fue la fuente de mucha diversión en Oakdale: "¡Dispérsense, malditos rebeldes!".

En octubre de 1929 el mercado de valores cayó y sumió a los Estados Unidos en la Gran Depresión. Yo era muy pequeño para entender en ese momento lo que había pasado, pero varios años después un banco local quebró, llevándose con él mi pequeña cuenta de ahorros. Más adelante, recuperé cinco centavos por dólar, junto con una valiosa lección sobre la naturaleza de los bancos.

El dinero escaseaba durante la depresión, por lo tanto nuestra diversión después de clases debía ser barata. En la época estival, mis amigos y yo explorábamos el vecindario, trepábamos las pilas de carbón en el patio carbonero de Boersma, dábamos vueltas en las carretas vacías alrededor de la fábrica de ladrillos *Grande Brick Company* o nos poníamos a ver trabajar a los mecánicos de automóviles, zapateros y polleros. El cercano arroyo Silver Creek estaba entubado en un enorme túnel subterráneo de varias manzanas de largo, lo que nos brindaba interminables horas de exploración aventurera a la luz de velas. Las calles, que casi no tenían tráfico automovilístico, eran el lugar perfecto para jugar hockey sobre patines y juegos de pelota. Las marcas de tiza sobre el nuevo asfalto servían de bases; la única desventaja era que no podíamos hacer deslices espectaculares en la base meta a menos que quisiéramos dejar algo de piel en el camino. En las contadas ocasiones en las que teníamos diez centavos, podíamos disfrutar un buen helado de la *East End Creamery*. Más accesibles eran los dulces del bar y heladería de Hoxie o el quiosco de Kinsel. Se podía conseguir cualquier tipo de gaseosa helada a cinco centavos en la estación de servicio Vern. En otoño, algunos de nosotros nos reuníamos en la acera de enfrente de nuestra casa para hacer una hoguera. Podíamos pasar horas hablando, tostando malvaviscos y ahumando barbas de maíz. Durante el invierno, o cuando me cansaba de dar vueltas por la calle, me pasaba horas trabajando en maquetas de aviones de la ferretería Kuizema.

Un hombre del vecindario estaba en el negocio de la construcción de casas y algunos de los niños del vecindario lo ayudábamos a construir casas en la zona. En esos días, las paredes se construían clavando listones y luego revocándolos. Nos divertíamos mucho haciéndolo, y aprendimos lo que era el trabajo arduo y cómo hacer un trabajo de calidad. Durante el verano algunos de los otros chicos y yo ganábamos algo de dinero cortando césped.

La depresión golpeó de cerca a nuestra familia cuando la industria de la construcción entró en una profunda crisis en la década de los treinta. Mi abuelo materno perdió su negocio de construcción y estaba devastado financieramente. Vino a vivir con nosotros durante un tiempo, lo que resultó ser una experiencia extremadamente positiva para mí. Pude pasar mucho tiempo con mi abuelo y el impacto que causó en mi vida es inconmensurable. ¿Pueden imaginarse que sus suegros se muden con ustedes ahora?

Mi abuelo fue arquitecto, constructor, carpintero y empresario mientras tuvo su negocio de construcción. Al contarme de su trabajo y demostrarme su habilidad como carpintero, comenzó a fascinarme la forma en que las cosas se diseñaban y luego se unían. Años después, el interés que el abuelo despertó en mí me llevó a hacer cursos de ingeniería y a unirme a la Fuerza Aérea.

Lo que realmente distinguió a mi abuelo era su profunda fe y la manera que tenía de entrelazar su teología tradicional en cada aspecto de su vida. Cuando el abuelo vivía en Holland, Michigan, yo iba a visitarlo y a caminar con él por la ciudad. Generalmente, caminábamos desde la calle 19 a la 9, en el centro de la ciudad. El abuelo se ubicaba en un banco de la plaza, donde muchos hombres vecinos se reunían para discutir sobre teología; todo en holandés, por supuesto. Yo buscaba un lugar al lado de mi abuelo y escuchaba a estos hombres razonar los méritos del creacionismo o demostrar los errores de Armenius, un teólogo que creía que Dios le daba al hombre la libertad de aceptarlo o rechazarlo (¡Creo que en algún lado todavía están discutiendo sobre eso!). El abuelo podía mantener su postura en un debate y se ganaba el respeto de cualquiera que lo escuchara. Años más tarde, me dijo que siempre había deseado ir a un seminario a estudiar. El abuelo me mostró que uno siempre debía considerar cuidadosamente que la base teológica y la fe verdadera se vive no solamente en el banco de una iglesia los domingos sino en cada parte de la vida.

INTERCAMBIO DE POR VIDA

Si todo esto ayudó a forjar mi carácter, fue un Modelo A de 1929 el que me ayudó a forjar mi carrera. En 1939 ingresé al colegio secundario cristiano de Grand Rapids. Yo vivía del otro lado de la ciudad y recorría varios kilómetros por día en bicicleta hasta el colegio, hasta que a los quince años mi padre me dio un Ford Modelo A de 1929. Mi familia era de clase media, pero siempre teníamos automóviles para usar porque mi padre estaba en el negocio automotor. La mayoría de los chicos del secundario no tenían esa bendición; yo era uno de los dos únicos estudiantes de mi colegio que tenían automóvil. Ser dueño de un automóvil me hacía bastante popular, como pueden imaginarse. El asiento trasero del Ford A era descubierto, por lo tanto tenía lugar para llevar pasajeros. Cobraba veinticinco centavos por semana para llevar a mis compañeros al colegio; ésa era mi manera de pagar el combustible (que en ese momento valía diez centavos por galón) y de ganar algo de dinero. Un día se me acercó un muchacho llamado Rich DeVos para consultarme si podía llevarlo. Vivía a pocas manzanas de mi casa, así que por supuesto que me alegraba recibir su dinero todas las semanas. Lo que seguiría después de ese simple intercambio iba a ser más de lo que cualquiera pudiera haber imaginado.

Gradualmente, Rich y yo nos fuimos conociendo y nos hicimos buenos amigos. Organizábamos citas, íbamos a los partidos de básquet juntos, nos divertíamos juntos y hablábamos de lo que queríamos hacer de nuestras vidas. Rich era más sociable que yo, más extrovertido, siempre hacía más ruido. Yo frecuentaba la biblioteca, era más tranquilo que Rich, pero, a pesar de nuestras diferencias, yo disfrutaba de su presencia: hacía aflorar lo mejor de mí. Descubrimos con el tiempo que nuestras personalidades diferentes se complementaban perfectamente y entonces los dos formábamos un dúo imbatible en cualquier cosa que nos propusiéramos. Cuando egresé de la escuela secundaria en 1942, supimos que seríamos amigos para toda la vida.

Atesoro una nota que Rich me envió muchos años después con ocasión de mi trigésimo noveno cumpleaños, que muestra cuán constante y fiel como amigo fue a lo largo de los años:

Querido Jay:

¡Feliz cumpleaños! Esta es una nota para decir simplemente lo mucho que has significado para mí personalmente. Durante los últimos 25 años hemos tenido nuestras diferencias, pero siempre ha relucido algo mayor. No sé si existe una manera más sencilla de decirlo, pero puede llamarse respeto mutuo. Una palabra mejor sería "amor".

Los años han sido buenos para nosotros en tantos aspectos, que es difícil aislar detalles; pero las alegrías y emociones residen fundamentalmente en el hecho de que lo hicimos juntos. Realmente comenzó con ese viaje de veinticinco centavos por semana y desde entonces ha sido un hermoso viaje.

Gracias por ser lo que eres.

Sinceramente, Rich.

A alguna gente se la acusa de comprar a sus amigos, pero supongo que ustedes pueden decir que yo hice exactamente lo contrario. Otros dos amigos que viajaban en ese asiento descubierto y que aprecié mucho en la secundaria eran Marv Van Dellen y John Vanderveen. A veces íbamos de pesca o a esquiar juntos y, junto con Rich, formamos un cuarteto que se mantuvo unido a lo largo de la secundaria, la guerra, los casamientos, las carreras e incluso hasta el día de hoy.

No pasó mucho tiempo para que comenzara a trabajar para mi papá requiriendo a veces la ayuda de Rich. Cuando yo tenía dieciséis años, y Rich catorce, papá nos pidió que lo ayudáramos a entregar dos camionetas usadas a un cliente en Bozeman, Montana. Desde ya, nos lanzamos a la oportunidad. Hoy, por supuesto, ningún padre cuidadoso pediría tal cosa, pero Estados Unidos en 1940 era un lugar más seguro. Nosotros no podíamos imaginarnos una aventura más emocionante. Nos imaginábamos en los amplios espacios abiertos del Oeste, enfrentando los diversos desafíos del camino con nuestra propia fuerza y capacidad. El panorama era atractivo para nuestro profundamente arraigado sentido de independencia y confianza en nosotros mismos. Al ser la primera de las muchas aventuras en las que Rich y yo nos íbamos a embarcar en el transcurso de nuestras vidas, el trabajo en equipo y el compañerismo que desarrollamos en ese viaje nos iban a servir mucho en años futuros.

Teníamos que tener bastante cuidado con nuestras finanzas en el viaje. Era el verano de 1940 y los efectos de la Gran Depresión persistían, por lo tanto pensábamos mucho antes de gastar cada centavo. Para evitarnos el costo de alojamiento dormíamos sobre paja en la parte trasera de las camionetas. No nos importaba: era una Aventura, nosotros éramos hombres y podíamos enfrentarla. En un día de calor se pincharon tres cubiertas al mismo tiempo (las cubiertas de la camioneta estaban casi lisas cuando salimos) y la empujamos hasta pasar frente a una estación de servicio en el medio de la nada. Reparamos las tres cubiertas con el equipo que habíamos llevado y después descubrimos que el señor de la estación de servicio nos quería cobrar cinco centavos por el aire. No podíamos gastar nuestro dinero en aire, ni siquiera cinco centavos, así que usamos nuestro pequeño inflador de mano y nos pasamos una hora o más inflando esas tres cubiertas. Creo que el hombre pensó que nos íbamos a dar por vencidos y a pagarle por el aire, pero no tuvo en cuenta nuestra determinación y nuestra voluntad de trabajar.

LECCIONES DE TIEMPOS DE GUERRA

Cuando egresé del colegio secundario, el mundo estaba en guerra. Las noticias Movietone en los cines mostraban imágenes de soldados alemanes con cascos, tanques poderosos que avanzaban a través de Europa y tropas estadounidenses que se embarcaban hacia las zonas en guerra. Se emitían novedades de la guerra en todas las radios. Las fábricas estadounidenses hacían tanques, aviones de combate, armas y municiones. Había tarjetas de racionamiento en cada billetera y carteles en la mayoría de las vidrieras de los negocios que anunciaban bonos de guerra. Muchos de mis amigos, que esa primavera habían egresado conmigo, estaban destinados a cumplir entrenamiento militar y luego servicio en Europa o en el Pacífico. Yo ingresé en el Cuerpo de Reservistas de la Fuerza Aérea (Army Air Reserve Corps) del Calvin College pensando que podía elegir la rama en la que prestaría servicio y quizás finalizar la facultad antes de volcarme al servicio activo. Un capitán del ejército vino a la facultad y nos dijo que si firmábamos inmediatamente para la reserva se nos permitiría terminar los estudios y se nos daría una oportunidad en la Escuela de Capacitación de Oficiales (Officer Training School). Como todavía no había aprendido mucho de la vida en ese entonces, le creí. Así fue que en noviembre de 1942 me recluté como soldado raso. En marzo de 1943 nos cargaron a todos en un tren hacia el campo de entrenamiento de St. Petersburg, Florida. Mientras nos dirigíamos allí, durante el desayuno, me di cuenta de que mi bandeja comenzó a deslizarse hacia el otro lado de la mesa, primera indicación de que el tren había descarrilado. Nadie en mi vagón se lastimó de gravedad, pero fue un gran susto para todos nosotros.

Cuando finalmente llegamos a St. Petersburg, nos acuartelaron en carpas en lo que había sido el campo de golf de un club campestre elegante. Los servicios del campamento habían sido puestos sin mucho cuidado o sentido común y las condiciones eran bastante malas. El comedor al aire libre estaba justo al lado de las letrinas, no había agua caliente y era difícil encontrar buena atención médica, supongo que porque la mayoría de los doctores eran enviados a las zonas de combate. A todos nos llenaron de vacunas, pero parece que no sirvieron porque muchos de nosotros nos enfermamos igual.

Por lo menos quinientos de los hombres que había en ese campamento se enfermaron gravemente. Yo fui uno de ellos. El ejército ocupó un gran hotel en St. Petersburg y lo llenó de reclutas enfermos. Estuve un mes en ese hospital temporal. Al principio los médicos nos diagnosticaron sarampión. Yo sabía que no tenía sarampión. El sarampión no produce dolores de cabeza agudos, que era lo que casi todos nosotros teníamos. Después de que algunos de los hombres murieron, los médicos decidieron que era meningitis espinal. En 1943 no había un remedio efectivo para esa enfermedad. Los médicos experimentaron con algunas cosas extrañas hasta que llegaron a las sulfamidas, que resultaron bastante efectivas.

Mientras tanto muchos ciudadanos locales se habían quejado ante sus congresales por las condiciones del campo de entrenamiento de Florida. Para ellos no tenía ningún sentido, ni para mí tampoco, que el ejército llevara miles de hombres en buen estado físico y enviara la mitad de vuelta a sus hogares enfermos o lisiados luego de haber pasado un mes o dos en los campos de entrenamiento básico. Muchos de los hombres que no murieron por la enfermedad quedaron con discapacidades permanentes. Algunos no podían caminar, otros no podían hablar y otros estarían plagados de enfermedades crónicas por el resto de sus vidas. Le atribuyo el mérito de mi total recuperación a las fervientes oraciones de mucha gente de Grand Rapids.

Toda esta experiencia me hizo sentir aversión hacia la mayoría de los tratamientos medicinales modernos. Hasta la actualidad, mi enfermedad en el campo de entrenamiento del ejército ha sido la única oportunidad en la que estuve internado en un hospital. Hace mucho tiempo que estoy interesado en métodos alternativos de curación y prevención de enfermedades. Por supuesto, la medicina convencional funciona en la mayoría de los casos, pero existe tanto sobre el cuerpo humano que no sabemos; queda tanto por descubrir. Las teorías convencionales necesitan un desafío, para permitir que nuevas ideas funcionen. El doctor Ignaz Semmelweis, un obstetra vienés de la década de 1840, desafió al razonamiento médico de su época al insistir en que el personal médico debía lavarse las manos en una solución esterilizadora luego de atender a un paciente y antes del siguiente. Salvó innumerable cantidad de vidas humanas como resultado de su esfuerzo persistente, pero murió antes de que la ciencia médica aceptara sus conclusiones.

Cuando logré terminar mi entrenamiento básico, fui a la escuela de visor de bombardeo de Lowry Field en Denver, Colorado. Allí aprendí sobre el sofisticado y ultra-secreto visor de bombardeo Norden que ayudaría a que los ataques diurnos sobre Europa y Japón fueran tan destructivos. Luego de eso vino el entrenamiento de cadete de aviación en Seymour Johnson Field en Carolina del Norte. De allí fui a la escuela de Oficiales de Armamento Aéreo en la Universidad de Yale (Aircraft Armament Officers School). El año que pasé allí cambió toda mi actitud hacia la vida. Los estudios eran verdaderamente rigurosos y el cronograma, intenso. No nos iban a dejar ir fácilmente sólo porque se necesitaran oficiales con desesperación para el esfuerzo de la guerra. Me encontré trabajando más fuerte de lo que pensé que pudiera. El único lugar adonde se podía estudiar luego de que las luces se apagaran después de las 21 horas eran las duchas; algunas noches me quedaba allí hasta la diana, a las 5 de la mañana. Muchas veces pensé que no iba a lograrlo, pero descubrí que con el esfuerzo persistente podía mantener el ritmo de mis compañeros, e inclusive excederlo.

Todavía recuerdo claramente el discurso sucinto y duro que dio un general en nuestra ceremonia de graduación:

"Caballeros, ahora parten hacia la guerra. En la guerra no hay excusa para el fracaso. No pueden decir que no pudieron predecir el clima y por eso perdieron la batalla. O que no les enviaron municiones o que sus aviones no llegaron a tiempo. Tienen que tener todo eso en cuenta de antemano. Tienen que ganar la batalla de cualquier manera. Si pierden la batalla, pueden perder la guerra. Entonces no tendrán nada por lo que regresar a sus hogares. El enemigo invadirá la tierra donde ustedes viven. En la guerra no hay excusa para el fracaso".

Luego de recibir mi comisión como subteniente, el cuerpo de Fuerza Aérea me puso a trabajar entrenando tripulantes para los bombarderos B-17 y luego para los B-29, que llegaron hasta Japón. Rich, mientras tanto, también se había enrolado en el ejército y estaba apostado con una unidad de planeadores en la isla de Tinian, en el Pacífico. Nos manteníamos en contacto a través de cartas y una o dos veces logramos arreglar para estar en nuestro país al mismo tiempo.

Nos volvimos a encontrar en Grand Rapids; y una noche, cuando volvíamos de salir con unas chicas, Rich estacionó el automóvil en el garaje de la casa de sus padres y nos pusimos a conversar. Rich dijo: "Bueno Jay, cuando todo esto termine, ¿qué vamos a hacer? ¿Volver a la universidad?".

Los dos sabíamos que no era eso lo que realmente queríamos hacer. Mientras más hablábamos, más nos dábamos cuenta que teníamos que formar una sociedad y hacer negocios juntos. Como pasaría muchas veces en el futuro, lo único que necesitábamos era resolver qué tipo de negocio íbamos a iniciar.

Creo que se van a sorprender cuando se enteren cómo despegó el primer equipo Van Andel-DeVos.

CAPITULO 2

Iniciando
el despegue

S i no fuera por algunos pequeños problemas que tuvimos con el primer negocio que Rich y yo armamos, hoy Amway podría haber sido una línea aérea.

Después de la Segunda Guerra Mundial surgió una especie de furor por los aviones. Mucha gente creía que todas las casas se iban a construir cerca de una pista y que habría dos aviones en cada garaje, así todos irían al trabajo por vía aérea. Dado que a ambos nos gustaban los aviones, decidimos organizar un negocio en torno a ellos. Nuestro amigo Jim Bosscher propuso que los tres aunáramos nuestros recursos, compráramos un avión y nos pusiéramos en acción.

Como Rich todavía estaba en el ejército, me envió su parte del dinero para que Jim y yo pudiéramos comenzar a buscar un avión. Compramos un Piper Cub de dos asientos en Detroit por un pago inicial de 700 dólares. No sabíamos siquiera lo básico acerca de volar, por eso tuvimos que contratar a un piloto para llevar el avión de Detroit a Grand Rapids. De esta manera Rich se convirtió en uno de los dueños de un avión ¡incluso antes de tener un automóvil! La siguiente dificultad era ganar suficiente dinero para terminar de pagar el avión que acabábamos de comprar y volarlo.

La solución a ese problema fue abrir un servicio aéreo. Lo llamamos *Wolverine Air Service*, el cual no era muy original en un estado denominado Wolverine, pero no nos importó. Nuestro soporte principal era la instrucción de vuelo, pero también ofrecíamos paseos para pasajeros, transporte de grupos y venta y alquiler de aviones. Todavía no sabíamos volar, así que contratamos a dos pilotos veteranos para que hicieran ese trabajo mientras nosotros hacíamos todas las tareas en tierra. Nuestros primeros instructores fueron Jack Baas, ex-piloto de P-38, y Edward Mersman, ex-piloto de B-17. Jim, que había sido mecánico de aviones en el Cuerpo Aéreo del Ejército durante la guerra, se encargaba de la parte mecánica.

Contábamos con poder usar el aeroparque de Grand River en el parque Comstock, que estaba en construcción cuando comenzamos. Cuando el proyecto del aeropuerto se quedó sin fondos, pusimos flotadores debajo de nuestro avión y usamos el río Grand como pista de aterrizaje. Esa fue una lección sobre improvisación y aprendimos algunas más como esa durante nuestros días de servicio aéreo. A Rich le encanta contar la historia de cómo transformamos un viejo gallinero en oficina (sigo insistiendo en que era un cobertizo de herramientas, pero la versión de Rich es una mejor historia).

Casi un año después, Jim nos vendió a Rich y a mí su parte para volver al colegio. Rich y yo seguimos manejando el servicio aéreo de día, pero teníamos mucho tiempo libre por las noches. En un viaje a Florida para entregar un avión, se nos ocurrió la idea de abrir un restaurante con servicio para automovilistas, como algunos que habíamos visto por allí. Teníamos 300 dólares para invertir, así que el 20 de mayo de 1947 abrimos el *Riverside Drive-Inn Restaurant*, que era el primero de su clase en la zona. Sabíamos tanto de restaurantes como de volar cuando empezamos, pero no dejamos que eso nos detuviera. Rich y yo construimos una diminuta estructura de madera allí en el aeroparque, pusimos los cimientos y clavamos las tablas nosotros mismos. Pasaron varios meses hasta que logramos tener una conexión eléctrica correcta, por eso compramos un generador. Tampoco tuvimos agua por un tiempo, por eso cada noche llenábamos jarras en el lugar más cercano que tuviera instalación sanitaria y las llevábamos al restaurante.

Abríamos el restaurante desde las cinco de la tarde hasta la medianoche. Rich y yo intercambiábamos el trabajo: una noche él asaba las hamburguesas y yo atendía a los clientes y al día siguiente yo asaba las hamburguesas y él atendía a los clientes.

Un buen empresario nunca descansa, por lo tanto Rich y yo tratábamos siempre de pensar qué más podíamos dar a los clientes en el aeroparque. En un momento, comenzamos a ofrecer paseos en canoa por el Río Grand, lo cual tuvo mucho éxito, especialmente cuando pusimos novedosas radios a transistores en las canoas, para acompañar con música los paseos. Mediante un acuerdo con los dueños de los botes de paseo del Lago Superior, también comenzamos a ofrecer excursiones de pesca en ese lago. A dos años de haber iniciado los negocios, manejábamos una escuela de pilotos, servicio de chárter, servicio de reparación y una organización de venta de aeronaves y combustible, además del alquiler de botes, las excursiones y el restaurante. Con doce aviones y quince pilotos, *Wolverine Air*

Service era uno de los servicios aéreos líderes del estado de Michigan.

Aprendimos muchas lecciones sobre negocios durante todos esos años. Aprendimos el valor del trabajo arduo, la persistencia y la improvisación. La lección número uno fue que manejar un negocio es cuestión de avanzar a pesar de una interminable serie de problemas inesperados. A veces teníamos el problema de que las aeronaves se quedaban sin combustible: un verano, los estudiantes aterrizaron los aviones en los campos veinticinco veces. Me estremezco cuando pienso en algunas de las maneras creativas en las que superamos esos inconvenientes.

Un día, mientras Jack Baas estaba piloteando uno de los hidroaviones, se quedó sin combustible debido a fuertes vientos de frente. Como se había visto obligado a aterrizar en un lago demasiado pequeño para un despegue normal, nos preguntamos cómo haríamos para que el avión volara de nuevo. Compramos 20 litros de combustible, cargamos el avión y le atamos la cola a un árbol. Jack se subió a la cabina, aceleró el motor y me hizo soltar la soga que ataba el avión con un cuchillo, cuando él me lo ordenara. Con seguridad, levantó vuelo y pasó justo por encima de los árboles de la orilla opuesta.

Los problemas que enfrentábamos no terminaban nunca, pero persistíamos. Cuando el aeroparque no abría a tiempo, cuando el restaurante no tuvo las conexiones de energía eléctrica y agua por bastante tiempo, cuando varios de nuestros aviones se arruinaron porque nos equivocamos de lubricante, cuando el granizo y el viento dañaron seriamente varias de nuestras aeronaves, no nos rendimos. Las nevadas invernales nos obligaron a poner esquíes en todos los aviones, pero parecía que apenas los colocábamos, la nieve se derretía y apenas los sacábamos, nevaba. A pesar de eso, el primer año, transportamos a dos millones de pasajeros y ganamos 50.000 dólares.

Un sabio dijo alguna vez: "No hay nada en el mundo que pueda ocupar el lugar de la persistencia. El talento no podrá;

nada es más común que hombres fracasados con talento. El genio no podrá; el genio no recompensado es casi un proverbio. La educación sola no podrá; el mundo está lleno de vagos educados. La persistencia y la determinación solas son omnipotentes".

La segunda lección importante que aprendimos de nuestro primer negocio fue quedarnos fuera para dejar que otros hagan lo que saben hacer mejor. Delegar responsabilidad es esencial; incluso para algunas de las tareas más importantes. Cuando Rich y yo ingresamos al negocio del servicio aéreo, ninguno de los dos tenía licencia de instructor. Tuvimos que contratar a otras personas para que hicieran esa tarea. Esto nos hizo más exitosos que los otros cuatro servicios aéreos de la región, porque estábamos en tierra reclutando nuevos alumnos y clientes para chárters mientras nuestros competidores estaban en el aire, ya que ellos daban las clases. El taller de mi padre tuvo éxito por el mismo motivo. Tenía un taller pero nunca reparaba automóviles. Siempre estaba adelante, hablando con los clientes y atrayendo nuevos negocios.

Muchos dueños de negocios ignoran este principio y sufren por eso. Pierden tiempo haciendo cosas que pueden dejar que hagan otros y no usan su tiempo para conseguir clientes, que es la parte más importante del negocio. Los distribuidores de Amway pueden caer en esta trampa: se distraen con los detalles de contabilidad y de depósitos y almacenamiento, y no emplean el tiempo necesario consiguiendo nuevos clientes. A veces esto es por falta de conocimiento, pero a veces es porque al dueño le falta disciplina o no quiere usar su tiempo para encontrarse con clientes. Algunos sienten que necesitan manejar minuciosamente cada aspecto del negocio, lo que da como resultado empleados frustrados, pobre atención a los clientes, y por último un negocio acabado.

La lección número tres en nuestra educación comercial fue trabajar arduo y con inteligencia, cuando todas las otras personas están durmiendo o viendo televisión. Trabajar de nueve de la mañana a cinco de la tarde otorga un estándar de vida promedio. El trabajo de cinco de la tarde a medianoche es el que realmente nos hace avanzar en la vida. Rich y yo trabajamos arduamente para desarrollar nuestro servicio aéreo. Durante un tiempo, los dos asistíamos a clases de economía en el cercano Calvin College, así que alternábamos el manejo del negocio y las clases. Teníamos sólo un automóvil entre los dos, por lo tanto yo dejaba a Rich en el aeropuerto a la salida del sol y me iba al instituto. Al mediodía, cuando terminaba mis clases, me subía al auto, corría hasta el aeropuerto y Rich se llevaba el auto y trataba de llegar al instituto para su clase de las doce y veinte. Cuando Rich terminaba, volvía al aeropuerto y al trabajo. Lo hicimos durante un año. Eventualmente, los dos decidimos que debíamos dedicar todo nuestro tiempo a desarrollar nuestro negocio y abandonamos los estudios.

Verdaderamente teníamos que correr para hacer todo, en especial después de abrir el restaurante. Por lo general, trabajábamos hasta la madrugada y luego íbamos en automóvil hasta el Lago Michigan a nadar, relajarnos y dormir un rato en la playa antes de levantarnos para manejar los negocios otro día. Estábamos exhaustos, pero el trabajo era reconfortante.

EL TRABAJO COMO ETICA

Día tras día, Rich y yo trabajábamos en el desarrollo de nuestro servicio aéreo y del restaurante. Aunque nos extenuaba físicamente, sabíamos que hacíamos lo correcto al poner todo lo que teníamos en los negocios, al esforzarnos por hacer que cada día fuera importante. Nuestra educación cristiana nos enseñó que el trabajo es una cosa buena. Es difícil, seguramente, pero es parte de lo que Dios quiere que hagamos en este planeta.

De mi herencia calvinista aprendí que nuestro trabajo lo

hacemos en el contexto de un llamado, lo que nos asegura que, cualquiera sea nuestro nivel de ingresos, educación o antecedentes familiares, somos iguales en nuestra capacidad de glorificar a Dios en nuestra tarea. Al seguir nuestro llamado, como escribe John Calvin: "Ninguna tarea será tan despreciable ni tan sórdida que no tenga ni esplendor ni valor para la mirada de Dios". Aunque la gente que nos rodea no reconozca ni honre nuestro trabajo, Dios está agradecido si hacemos nuestra tarea para gloria suya.

Como el trabajo no es un fin en sí mismo, tenemos que trabajar con inteligencia para garantizar que lo que hacemos produce algo de valor; algo útil o atractivo. Una de las mejores maneras de saber si el fruto de nuestro trabajo tiene valor es tratar de venderlo en el mercado. Si nuestro trabajo no tiene valor para otras personas, no se venderá. Si somos personas racionales, y la mayoría lo somos, entonces cambiaremos nuestra tarea para producir algo deseado por los demás. Esto es lo que el sistema de la libre empresa alienta.

Por supuesto que también entran en juego consideraciones éticas. La gente con moral no debería producir cosas que deshonren claramente a Dios, aún cuando las personas expresen su deseo por esas cosas. En mi opinión, es inmoral estar involucrado en la producción de pornografía, la realización de abortos, la prostitución e inclusive la producción de negocios literarios o mediáticos que socavan la familia. Es por esta razón que creo que la libre empresa funciona mejor si está guiada por los principios judeo-cristianos tradicionales.

Sin embargo, dentro del campo de la actividad económica legítima, los precios dictados por el mercado son una manera maravillosa y natural de encargarse de las necesidades de la sociedad. Las decisiones del hombre de negocios tienen que ver con proveerle mejor al cliente lo que quiere. Cada empresario compite con otros para proveer el mejor servicio, más rápido y con una actitud agradable hacia el cliente. Las ganancias no tienen nada de inmoral: son una recompensa por atender bien al cliente. Las ganancias también son fuente de capital para todos los negocios. Un negocio sin ganancias a largo plazo fracasará por falta de dinero para agrandar o reemplazar instalaciones. Ser un buen empresario significa poner las necesidades de otros por delante de las propias: es ser un buen servidor. Y si usted lo hace bien, será recompensado por su trabajo.

Por supuesto, Rich y yo no teníamos mucho tiempo para reflexionar estos conceptos mientras tratábamos de construir nuestro negocio. Afortunadamente, ellos estaban entrelazados en lo profundo de nuestras almas, gracias a padres devotos y años de concurrir a la iglesia y a catequesis.

CAPITULO 3

Diversión

Luego de tres exitosos años de desarrollar nuestro negocio aeronáutico, Rich y yo decidimos tomarnos un año y divertirnos un poco. El cheque del ejército que había financiado muchos de nuestros estudios estaba por acabarse, pero todavía no estábamos listos para establecernos. Necesitábamos otra gran aventura mientras aún éramos jóvenes. En el invierno de 1948 ambos leímos el libro *Crucero al Caribe* (*Caribbean Cruise*) escrito por el timonel de yate Richard Bertram, y pensar en un aventura de navegación nos atrajo tanto como nos había atraído el viaje a Montana cuando teníamos ocho años menos. Nos entusiasmaba el estar fuera de nuestra ciudad dependiendo de nosotros mismos, sin que nada nos restringiera. Las vacaciones que nos habíamos tomado el año anterior, a México y Key West en avión, no habían sido por completo satisfactorias porque habíamos tenido que volver a los pocos días para vigilar nuestro negocio, que crecía con rapidez. Ahora, seríamos libres de tomarnos nuestro tiempo, actuar por capricho si queríamos y ver qué nos esperaba en el cálido Caribe.

Fuimos a South Norwalk, en el estado de Connecticut, y vimos una goleta de once metros llamada *Elizabeth*. Era un barco de madera de antes de la guerra, de diez años de antigüedad y había pasado la guerra en un dique seco. En ese momento ignorábamos temas marítimos y no nos dimos cuenta de que eso haría que el casco se secara por completo y filtrara. En ese entonces nos pareció que *Elizabeth* era perfecta para la clase de viaje que haríamos, por lo tanto vendimos uno de nuestros aviones y compramos el barco.

DESDE LAS PROFUNDIDADES

Ninguno de los dos había tomado un timón antes, así que Rich contrató a un capitán y a un tripulante para que nos ayudaran a comenzar. Mientras yo volvía a Michigan para liquidar el negocio de los aviones, Rich navegó hacia el sur hasta Wilmington, Carolina del Norte. Lamentablemente, Rich no tuvo un aprendizaje rápido de navegación y una noche, mientras el capitán dormía, Rich se desvió levemente hacia un pantano de Nueva Jersey. "Es la primera vez que alguien llega tan lejos tierra adentro con un barco de este tamaño", les dijo un asombrado marinero de la Guardia Costera mientras acarreaba el *Elizabeth* con una soga. Los remolcó hasta la bahía de Delaware y les dijo: "Muchachos, ése es el océano. Giren ese compás que tienen hacia el sur y sigan hasta que sientan calor, luego viren a la derecha y llegarán a Florida".

Rich dejó el *Elizabeth* en Wilmington y se reunió conmigo en Grand Rapids para Navidad. Al principio de enero volvimos a Carolina del Norte y el 17 de enero de 1949 dejamos al capitán y al tripulante y comenzamos a navegar hacia Miami. Allí equiparíamos el barco para el Caribe.

Descubrimos que aprender a navegar un barco era muy parecido a comenzar un negocio. No sabíamos mucho más de navegar que de volar aviones cuando iniciamos el negocio aéreo, pero de todas maneras nos lanzamos. Cometimos muchos errores, pero seguimos adelante y cada día aprendíamos algo nuevo.

Habíamos hecho planes inciertos de navegar hacia el Sur y llegar a Cuba, luego a la República Dominicana, Puerto Rico, Venezuela y rodear la costa atlántica del continente sudamericano. Rich y yo nos dimos cuenta mientras íbamos a Florida que el *Elizabeth* tenía filtraciones. Sin embargo, las bombas de achique se mantenían funcionando correctamente, así que no pensamos en el asunto y continuamos. Luego de detenernos en Miami, navegamos a Key West, y cruzamos los estrechos de Florida hacia La Habana y finalmente a la ciudad cubana de Caibarién, donde unos pescadores locales volvieron a calafatear las grietas del barco.

Nos fuimos de Caibarién alrededor de la tercera semana de marzo. El siguiente tramo de nuestro viaje era una larga ronda con viento en contra a lo largo de la costa norte de Cuba hasta Haití. El clima era bastante bueno, aunque el mar estaba un poco agitado. Alrededor de las seis de la tarde del 27 de marzo, Rich se fijó abajo y descubrió que estaba entrando algo de agua. Encendió las bombas de achique y volvió a la cubierta, donde yo dormía. Media hora después volvió a bajar y había más agua, entonces me despertó y comenzamos a bombear a mano. En esa época teníamos a un tripulante con nosotros, un cubano llamado Lázaro Hernández, pero, como tenía una infección dental, no sirvió de mucha ayuda. El agua entraba más rápido de lo que podíamos bombear, así que hicimos arrancar el motor y usamos la manguera de la toma de refrigeración para succionar agua de las bombas de achique. Rápidamente nos dimos cuenta de que esto tampoco iba a funcionar.

A esta altura estábamos muy preocupados. Estábamos apro-

ximadamente a diez millas de la costa y a ochenta y cinco millas
del puerto más cercano. Vimos un faro en el lado del canal que
pertenecía a Bahamas e intentamos toda clase de combinaciones
de navegación para llegar allí, pero tuvimos que dirigirnos de
regreso a la costa de Cuba. Nos dimos cuenta de que estábamos
en verdaderos problemas y enviamos un SOS por la radio.

Afortunadamente estábamos en una importante ruta de navegación, mar adentro del fondeadero de Paridon Grande en el
Canal de Bahamas, por lo tanto pasaba algún barco cada varias
horas. Aproximadamente a la medianoche aparecieron las luces
de un barco y disparamos una bengala roja. El barco contestó a
la señal de socorro y se comunicó con nosotros en código Morse,
pero no sabíamos el código y sólo contestamos con un SOS en
nuestro reflector. Aparentemente, eso no satisfizo al capitán,
porque cuando el barco estaba a media milla de nosotros, se dio
vuelta abruptamente. Quizás pensó que estábamos encallados
en piedras y no quiso perforar su carguero tratando de rescatar-
nos. Dos o tres horas más tarde divisamos otro barco que se
acercó a nuestro lado y, de todas maneras, llegó justo a tiempo
porque a las 2:30 A.M. una tabla de la proa se soltó y comenzó
a entrar agua.

Recuerdo que el barco era el *Adabelle Lykes*, un carguero que
se dirigía a Puerto Rico. El capitán se inclinó sobre la borda y
nos gritó: "¿Quiénes son ustedes?".

"La goleta *Elizabeth*, de Michigan", dijo Rich.

"¿Qué diablos están haciendo acá?", dijo el capitán.

"¡Hundiéndonos!", contestó Rich.

La tripulación del *Adabelle* intentó sacar nuestra embarcación del agua y subirla a cubierta con una de sus grúas de carga,
pero resultó imposible: nuestro barco tenía demasiada agua.
Nos dieron diez minutos para juntar todo lo que pudiéramos
sacar del *Elizabeth* y pudimos recuperar la mayor parte de
nuestra ropa, dinero y efectos personales. Luego el capitán, un
tal W.H. Files, le permitió a su tripulación abordar nuestro barco

y sacarle todo lo que pudieran antes de que él lo hundiera. Esos hombres sacaron más cosas del barco de las que jamás me había imaginado que hubiera. Sentí un poco de vergüenza al dejar que se me escapara tanto.

El último hombre a bordo hizo un gran agujero en el casco y subió por la escalera de cuerda a la cubierta del carguero. Después, el capitán retrocedió varios cientos de metros, aceleró, chocó al *Elizabeth* y lo destruyó. El barco arañó el costado del *Adabelle Lykes* y comenzó a hundirse rápidamente. Cuando llegó a la popa del carguero, la punta del mástil había desaparecido bajo las olas. Esto era necesario para evitar que el *Elizabeth* se convirtiera en un peligro flotante para otros barcos, pero de todas maneras fue un momento muy triste para Rich y para mí. No creo que nuestra embarcación, flotante como era, se hubiera hundido realmente con nosotros a bordo si el *Adabelle Lykes* no se hubiera acercado, pero igualmente es una sensación muy incómoda estar de noche en un barco inundado, a diez millas de la costa en 1.500 pies de agua, donde se corre un verdadero riesgo de ser atropellado por el próximo carguero que pase.

Rich y yo no sabíamos demasiado sobre la vida marítima cuando zarpamos, pero sabíamos bastante sobre riesgos como para sacar un seguro para el *Elizabeth*. Hicimos la denuncia del barco apenas llegamos a Puerto Rico y le enviamos la mayoría de nuestras cosas a Fred Morgan, un amigo de Rich de Nueva Orleans, para que las guardara. No veíamos la necesidad de acortar nuestro viaje simplemente porque nuestro barco se nos había hundido, por lo cual decidimos continuar hacia Sudamérica.

Nos embarcamos en el *Teakwood*, un petrolero británico de servicio irregular que se dirigía a Caracas, Venezuela. El capitán no podía llevar pasajeros, por lo tanto nos pagó un chelín a cada uno y nos llevó como tripulantes. Además, estaba bastante contento de que estuviéramos allí porque toda su tripulación inglesa lo había abandonado y se había quedado con una tripulación puertorriqueña de reemplazo. Estaba tan contento de tener alguien que hablara inglés que, una vez que llegamos a nuestro destino, nos alentó a seguir hasta África con él. Sin embargo, como la comida y el agua eran bastante malas, rechazamos la oferta y decidimos desembarcar en Willemstad, Curaçao.

Literalmente tuvimos que saltar del barco cuando llegamos a Curaçao. Los oficiales de inmigraciones de Willemstad no permitían que los tripulantes abandonaran el barco, porque mucha gente trataba de inmigrar ilegalmente de esa manera. Curaçao es territorio holandés, así que comencé a explicarles mi situación en su holandés natal. Los sorprendimos de verdad, porque estaban convencidos de que "en los Estados Unidos nadie habla holandés" y por lo tanto debíamos ser espías comunistas. Exigieron que les mostráramos que teníamos los medios para comprar un pasaje de salida de Curaçao y les mostramos los miles de dólares que llevábamos en nuestras fajas portavalores. Esto no hizo más que confirmar sus sospechas: éramos comunistas que estaban allí para fomentar una insurrección y causar conmoción. Sin embargo, nos dejaron bajar del barco luego de retenernos los pasaportes y nos fuimos a un hotel. Nos dimos cuenta de que nos siguieron hasta allí y a todos lados donde fuimos durante los siguientes tres o cuatro días, hasta que el gobierno local recibió la confirmación de nuestras identidades de parte del gobierno estadounidense.

COLOMBIA EN BARCO DE RUEDAS

Las autoridades de Curaçao deben haberse sentido aliviadas cuando finalmente nos fuimos. No estoy seguro de que en algún momento hayamos logrado convencer a alguno de ellos, pero

los comprendimos mucho mejor cuando llegamos a Colombia.
Desde Willemstad volamos hacia Caracas, Venezuela. No nos
quedamos mucho tiempo allí porque la tasa de cambio no nos
favorecía, así que volamos al este hasta Barranquilla, Colombia.
Barranquilla está ubicada en la desembocadura del río Magdalena, un importante curso de agua que drena el interior colom-
biano más densamente poblado. Rich y yo descubrimos un viejo
barco a ruedas, igual a los que hacían servicios regulares por el
Mississippi; de hecho, éste había sido transportado desde el
Mississippi para ser usado en el Magdalena. Este barco y otros
similares eran el principal medio de transporte en el Magdalena.
Tenía triple función: como carguero, transporte de pasajeros y
de militares. Dado que en ese momento no había buenas rutas
en el interior de Colombia, ésta era la única manera de conocer
el país si eso era lo que se pretendía. Embarcamos, y por 15
dólares, conseguimos un camarote de primera-clase, lo que
supongo que era "primera clase" de acuerdo a los estándares
colombianos de 1949, pero a mí no me impresionó. Sin embargo, la alternativa era dormir bajo la cubierta en la tercera clase
con una frazada.

En la cubierta de proa había un pequeño rebaño de ganado,
cuyo número disminuía día a día a medida que se los sacrificaba
para alimentar a los pasajeros. Rich y yo decidimos que el
carnicero probablemente era aficionado luego de que descubrí
en mi sopa un pedazo de carne que todavía tenía pelo y piel.
¡Realmente adelgazamos en ese viaje! Aprendimos a buscar
comida en cualquier lado cada vez que teníamos la oportunidad
de desembarcar, como suplemento de la terrible dieta a bordo.
En una parada en el río encontramos piñas a cinco centavos
cada una y recogimos tantas como podíamos cargar y las escon-
dimos en nuestro camarote.

Mientras el barco avanzaba nos sentábamos en sillas de la
cubierta a leer o a ver cómo la selva verde se desplegaba en cada
recodo del río. Un día mientras estábamos descansando al sol,

nos despertamos con el sonido de gritos ansiosos que provenían de la parte opuesta del barco. Apurados, dimos vuelta a la popa, justo a tiempo para ver a uno de los pasajeros que se deslizaba en el agua marrón, agitando sus brazos frenéticamente y gritando algo en español. Un pequeño grupo de gente corría hacia nosotros a lo largo de la borda e inútilmente le gritaba al pobre hombre. Le habían arrojado dos salvavidas pero no lograron llegar hasta el hombre antes de que la rápida corriente lo empujara hacia atrás del barco. Apareció el capitán y sobrevino una acalorada discusión. Parecía que el capitán no iba a girar el barco, y así ponerlo en riesgo, en medio de la rápida corriente y en ese angosto canal, por lo tanto el hombre quedó abandonado y debía valerse por sí mismo. Es probable que se haya ahogado. Ese día Rich y yo decidimos que no queríamos caernos al agua.

No había manera segura de navegar el río de noche, por lo que el capitán ponía la proa del barco en el lecho del río, arrojaba un ancla y se quedaba en ese sitio toda la noche. La noche en la selva es totalmente diferente a cualquier otra cosa que haya experimentado en mi vida. Los ruidos son tan distintos... En un barco, cuando cae la noche, uno puede escuchar el golpe del agua en el costado, el crujido y chirrido de las planchas de madera en el casco, la tensión de las sogas del ancla y, en un barco que filtrara como el *Elizabeth*, el ruido de las bombas de achique. De noche en la selva, en un barco repleto, hay muchos otros ruidos. Además de los "ruidos de gente" provenientes de la cubierta que estaba abajo nuestro, se oían los distantes ruidos a maquinaria del motor a vapor y los medidos pasos de uno de los guardias con botas que patrullaba la cubierta. De noche nuestro camarote era sofocante, por eso caminábamos por la cubierta y oíamos los graznidos, chillidos y aullidos de las criaturas que vivían a unos cientos de metros en la selva. Solamente unas pocas llegaban hasta el barco, principalmente insectos. Había coleópteros por todas partes. Miles de ellos aterrizaban en la cubierta, atraídos por las luces del barco y crujían bajo nuestros zapatos mientras caminábamos.

La Colombia que vimos estaba siendo destruida frente a nuestros ojos. En 1949, Colombia estaba en el segundo año de "La Violencia", un conflicto sangriento que duró una década y se cobró la vida de doscientos mil colombianos. En ese momento, había mucho sentimiento anti-estadounidense; vimos carteles que decían "Váyanse Yanquis" ("Yankees go home") y cosas parecidas. El comunismo ganaba adeptos entre muchos colombianos y no nos sentíamos totalmente tranquilos llevando nuestros pasaportes estadounidenses. Dado que durante la noche había bandidos en la zona que trataban de asaltar los barcos y robar a los pasajeros, las tropas colombianas montaban guardia en la orilla de noche. Esto tendría que habernos hecho sentir más cómodos, supongo, pero de alguna manera su presencia sólo nos recordaba el peligro.

Parece que nosotros los estadounidenses tenemos el hábito de hacernos enemigos en países extranjeros. Aún cuando la cultura estadounidense es adoptada en todo el mundo (en alguna oportunidad generando nuestra bien merecida vergüenza), la influencia política o militar que ejercemos sobre muchas naciones a veces es resentida por los ciudadanos locales. Se envían tropas estadounidenses a otros países para proteger lo que los políticos de Washington ven como nuestros mejores intereses, pero si una presencia militar estadounidense incita a la gente en contra nuestro, el efecto puede ser el mismo que si nos disparáramos en el pie. Los mayores gastos de defensa, que nos generan un enorme costo, reducen el éxito de exportadores y fabricantes estadounidenses en mercados extranjeros. Pero parece que nuestros políticos no entienden el poder de los negocios estadounidenses para ganar pacíficamente la cooperación de otras naciones. Dado que a la gente en todo el mundo le gustan los productos estadounidenses, nuestros hombres de negocios son embajadores más efectivos que nuestras tropas.

BAJO NIVEL

Por supuesto Rich y yo estábamos de vacaciones, por lo tanto esas cosas no ocupaban nuestras mentes por mucho tiempo. Continuamos navegando por el río Magdalena hasta que se hizo muy poco profundo para la navegación y desembarcamos en una pequeña ciudad que tenía un tren hasta Medellín. Actualmente, Medellín es más conocida por el tráfico de droga que se origina en esa zona, pero en 1949 no hicimos esa asociación. La ciudad está cobijada en un valle alto y arbolado en los Andes. La altitud contribuía a que el clima fuera más fresco, lo que apreciamos mucho luego del tiempo que pasamos en el calor tropical. De Medellín fuimos en avión a Cali y desde allí tomamos un tren de trocha angosta Aeros-Euro hasta Buenaventura. El trencito era casi como de juguete. Los coches de pasajeros tenían los costados abiertos, pero no pensamos que importara mucho hasta que atravesamos un túnel. Rich y yo rompimos en carcajadas cuando nos miramos al emerger: parecíamos mineros a la salida del trabajo. Como el hollín de la locomotora a vapor no tenía adonde ir en el túnel, acabó cubriéndonos la cara y las manos.

En Buenaventura tuve que negociar en el mercado negro para conseguir dinero para sacar los pasajes para la siguiente etapa de nuestro viaje: un transatlántico Grace que iba hacia el sur por la costa oeste de Sudamérica. Esa fue una de mis primeras experiencias en una economía sumergida y despertó mi interés. En muchos aspectos, el dinero es lo mismo que cualquier otro producto. El dinero tiene "precio" como cualquier otra cosa, sólo que ese precio se debe expresar en términos de otras divisas, lo que se llama tasa de cambio. En todo el mundo, casi sin excepción, la producción de divisas está completamente controlada por el gobierno. Generalmente éste aprovecha la oportunidad que le presenta el monopolio de dinero para causar inflación de la moneda y por medio de eso extraer valores para usar para sus propios fines. Si un gobierno desvaloriza tenaz y atrozmente la moneda, la gente huye a otras divisas en un intento por preservar el valor de sus activos monetarios. Por supuesto, los funcionarios del gobierno saben que no pueden causar inflación a la tasa que acostumbran si la gente puede cambiarse a otra divisa. Por lo tanto, fijan una tasa de cambio artificialmente alta para tratar que la gente no se cambie de divisa; en otras palabras, fijan un "precio" alto para las divisas extranjeras en relación al de la divisa local. Sin embargo, es extremadamente difícil aplicar esta ley, por lo que rápidamente se origina un mercado negro de divisas extranjeras.

Aunque nuestro plan general era circundar el continente sudamericano, nunca estábamos del todo seguros dónde íbamos a ir luego. Parte de la aventura era nunca comprar pasajes más allá del siguiente destino. Rich y yo tomamos Sudamérica como se nos presentaba, sin restringirnos a itinerarios detallados.

HACER PLANES PARA LA LIBERTAD

A pesar de todo, no podíamos dejar de lado nuestras "naturalezas" empresariales. A cada lado adonde íbamos, teníamos los ojos abiertos para encontrar oportunidades de importar productos a los Estados Unidos. Rich y yo pasamos gran parte de nuestro tiempo conversando largamente sobre lo que haríamos cuando volviéramos. No dudábamos que comenzaríamos nuevamente con algún tipo de negocio. No estábamos seguros de lo que sería, pero nos habíamos demostrado que podíamos triunfar juntos.

El transatlántico que abordamos en Buenaventura era una combinación de carguero y transporte de pasajeros. Paramos muchas veces en el camino, en Ecuador, Perú y Chile, mientras el barco descargaba bananas y cargaba caña de azúcar y algodón.

Bajamos definitivamente en Valparaíso, la ciudad que le sirve de puerto a Santiago de Chile. A esa altura estábamos tan cansados de viajar que decidimos quedarnos un tiempo en Santiago. Explorar el campo, andar a caballo e ir a fiestas nos ocupó casi un mes. Tengo algo de facilidad para los idiomas, por lo tanto pude aprender suficiente español para meterme en problemas.

Chile tiene un clima seco mediterráneo, parecido al de California. Estuvimos allí en invierno, por lo tanto estaba un poco fresco. Santiago era entonces, y sigue siendo, una de las ciudades más desarrolladas y cosmopolitas de América del Sur. Tenía un sabor internacional muy interesante, dado que había miles de europeos residiendo allí. El viajero puede descubrir el aroma de la ciudad si se sienta en uno de los muchos restaurantes elegantes de Santiago. Recuerdo que un día Rich y yo tuvimos una conversación en un restaurante en inglés, español y holandés. Ninguno de los dos hablaba bien el español, pero la gente era muy amable y paciente con nosotros. Santiago y su gente fueron tan encantadores que decidimos pasar varias semanas allí.

Luego de un mes en Santiago, volamos hacia lo que sería el límite sur de nuestra gira sudamericana: Buenos Aires. Argentina es conocida por su producción de carne vacuna y recuerdo que el menú de los restaurantes era principalmente carne. Incluso tenían cócteles de sangre vacuna, que probé en un esfuerzo por comprender por completo la cultura local. A mitad del trago decidí que prefería las bebidas más tradicionales. Buenos Aires era tan hermosa como Santiago, pero el clima político cubría todas las bellezas de la ciudad con una sombra oscura.

Argentina es un triste ejemplo de una nación maravillosa, con gente bella y abundantes recursos, repetidamente puesta de rodillas por el socialismo. En la época que estuvimos en Buenos Aires, Argentina estaba bajo la dictadura del socialista Juan Perón. Argentina en 1949 era un estado policial. Parecía que había hombres armados por todas partes y el nacionalismo desenfrenado explicaba las banderas argentinas flameando en balcones y techos. Una vez lo vimos a Perón pontificar desde el balcón de su palacio de gobierno. Tenía reminiscencias de las imágenes de noticias en tiempos de guerra, cuando habíamos visto a Benito Mussolini actuar desde un balcón parecido en Roma.

Perón retuvo el poder durante once años a pesar de la supresión de las libertades civiles básicas, de su traición a los católicos apostólicos romanos y su tonto "peronismo" o políticas económicas. Luego de dejar Argentina, el país entró en un lento receso económico causado por el peronismo. Para satisfacer a los agricultores y a los sindicatos en Argentina, Perón había apelado a precios fijos y a medidas proteccionistas. El resultado fue que Argentina perdió su margen competitivo. Argentina, bien conocida como la tierra de los gauchos, pasó de ser exportador neto de carne vacuna a ser importador neto de carne como resultado del peronismo. Una grave inflación azotó a la economía durante décadas desde ese entonces. La esposa de Perón, Eva, resultó ser más popular entre los argentinos; cuando murió de cáncer en 1952, la tolerancia al régimen de Perón cayó drásticamente. Se exilió en 1955 y regresó varios años después antes de su muerte en 1974. Es interesante que el actual presidente, un reconocido peronista, es famoso por su política bastante distinta a la de Perón. Desde que asumió en 1989, Carlos Menem ha frenado la hiperinflación, ha privatizado la mayoría de las actividades que eran propiedad del gobierno, ha desafiado a los sindicatos y ha reducido la regulación gubernamental de la economía.

Finalmente nos fuimos de la Argentina de Juan Perón hacia Uruguay y Brasil; primero volamos a Montevideo y luego a Río de Janeiro. Allí, en la playa de Copacabana, acuñamos el nombre Ja-Ri, de Jay y Rich, que sería el nombre de nuestro negocio cuando volviéramos a los Estados Unidos. Todavía no estábamos seguros cuál sería el negocio, pero en ese momento pensábamos importar.

Desde Río nos fuimos a Belém, un importante puerto brasileño cerca de la desembocadura del río Amazonas. Desde Belém volamos a las Guyanas y completamos nuestra vuelta a América del Sur. De allí volamos a Trinidad, luego Antigua, Haití y República Dominicana. En Haití finalmente encontramos algo que pensamos podríamos importar con éxito. Había un mayorista que tenía una pequeña fábrica, en realidad un conjunto de cabañas, donde algunos hombres y mujeres se sentaban a tallar platos y otros elementos domésticos de caoba. Rich y yo decidimos que era justo lo que la gente de nuestro país compraría, por eso hicimos arreglos con el hombre y partimos hacia Mayagüez, Cuba. Cuando finalmente volamos hacia Miami en julio de 1949, estábamos casi listos para ver los Estados Unidos de nuevo. Habíamos estado ausentes casi seis meses y nos imaginábamos que por un tiempo no nos volverían a surgir ganas de viajar. Habíamos pisado el suelo de todos los países de Sudamérica, excepto Bolivia y Paraguay, y el de muchas naciones del Caribe. Nos habíamos ido de viaje básicamente para divertirnos, pero tuvo un efecto duradero en nosotros.

Ver cómo vive la gente en países donde el gobierno controla tanto nos enseñó la importancia de una economía libre y nunca más dimos por sentada la relativa libertad de la sociedad estadounidense. América del Sur es un continente sorprendente. Está lleno de vasta riqueza mineral, millones de hectáreas de tierra cultivable y tesoros ambientales de incalculable valor. Sin embargo, en muchos países de ese continente un gran número de personas vive en la pobreza. ¿Por qué? Porque durante muchos años, los gobiernos sudamericanos no le dieron a sus pueblos la libertad de alcanzar su potencial. El rechazo del principio de "igualdad ante la ley" y una fuerte carga impositiva, virtualmente han eliminado a la clase media en muchos países sudamericanos. Una tradición de gobiernos corruptos y burocráticos, y la carga opresiva de la regulación gubernamental en algunas naciones, han sofocado el crecimiento económico y han mantenido a millones de personas en la pobreza. Finalmente, el alto endeudamiento hacia otras naciones ha puesto a muchas economías en una situación inestable.

Afortunadamente, las condiciones están mejorando y América del Sur está emergiendo como un vibrante poder económico. Pero cuando estuvimos allí, era muy desalentador ver que tantas personas talentosas y brillantes no pudieron acceder a la oportunidad de triunfar.

Dejamos este bello continente ansiosos de probar "nuestra mano" en los negocios una vez más, pero en un ambiente que recompensara la iniciativa. La única pregunta era: ¿Qué clase de negocio comenzaríamos?

A la manera de Nutrilite

P robablemente sería una historia más interesante si contáramos que Rich y yo "descubrimos" una planta mágica en el Amazonas que se convirtió en la base de los productos de limpieza Amway. Bueno, la planta que descubrimos en el Caribe era un árbol bastante común y no nos condujo a Amway exactamente. Al menos, no de manera directa.

Apenas volvimos de América del Sur formamos conjuntamente la Corporación Ja-Ri y comenzamos a importar artículos de madera de caoba de Haití. Potenciamos nuestras habilidades de venta con encargados de compras de grandes almacenes y dueños de negocios de regalos; redescubriendo rápidamente que viajar era mucho más fácil que ganarse la vida. La competencia era dura y éramos jóvenes e inexpertos en este tipo de negocios. A pesar de todo, el negocio de importación despegó y le dio a Ja-Ri sus primeras ganancias.

Creo que existe algo en lo íntimo del ser de los emprendedores que hace que quieran ser sus propios jefes. Eso ha sido verdad en mí, al menos. Mi madre solía decirme que, cuando yo era muy pequeño, a veces me resistía cuando ella quería ayudarme con pequeñas tareas. "Yo lo hago" se transformó en lema de mi primera infancia y desde ese momento he deseado hacer todo por mi cuenta.

Luego de comenzar el negocio de importación, Rich y yo no dudamos en iniciar otros emprendimientos que pensamos que podrían generar ganancias. Durante un tiempo administramos carros de helados en el área de Grand Rapids, luego nos unimos a un amigo nuestro llamado Peter Price para crear una empresa de juguetes. *Grand Rapids Toy Company* comenzó con la fabricación y distribución de un caballo mecedor de madera, cuya patente era nuestra. Rich era el presidente, nuestro amigo Peter vicepresidente, y yo era el secretario y tesorero. En resumen, la empresa fue un desastre. Simplemente, los juguetes caros de alta calidad que intentábamos vender no eran lo que los consumidores querían en esa época. *Grand Rapids Toy Company* fue uno de nuestros desafíos empresariales que mordió el polvo rápido y con fuerza. Fue una lección cara de cómo no teníamos que hacer las cosas. Para liquidar sanamente el negocio compramos las acciones de nuestros accionistas al precio que habían pagado, así ellos no sufrieron pérdidas.

Otro negocio fue *Stone Mills Products Company,* un negocio de venta mayorista y minorista de productos de panadería. Antes de que los productos "orgánicos" se convirtieran en tendencia, íbamos puerta a puerta vendiendo pan natural orgánico y otros productos de panadería. Vendíamos parte a través de pedidos por correo, lo que nos enseñó que se podía servir bien a un mercado disperso desde una sede central organizada. *Stone Mills Products* tuvo un éxito moderado y la vendimos en 1955.

En retrospectiva, todos estos emprendimientos que Rich y yo iniciamos cuando volvimos de Sudamérica nos enseñaron cosas sobre los negocios que usaríamos después en Amway. La combinación de la experiencia con el servicio aéreo y los primeros negocios de Ja-Ri, nos prepararon para aprovechar al máximo la oportunidad de nuestras vidas.

Mientras Rich y yo estábamos callejeando por Sudamérica, mi primo segundo Neil Maskaant convenció a mis padres para que compraran una caja de un suplemento nutricional llamado Nutrilite. Comenzaron a tomar las vitaminas con regularidad y cuando regresamos se deshacían en elogios. A instancias de ellos, le permití a Neil que me programara una entrevista para hablar sobre los productos Nutrilite. Al principio, yo no estaba entusiasmado. Pensaba que ser minorista de vitaminas puerta a puerta no era un negocio en el cual se pudiera hacer mucho dinero. Sin embargo, como Rich y yo estábamos en busca de algún negocio para agregar a la nómina de Ja-Ri, estuve de acuerdo en escuchar lo que Neil tenía para ofrecerme. Una noche de agosto de 1949, mientras Rich había salido a una cita, Neil y un compañero de él vinieron desde Chicago para mostrarme su presentación. Resultó ser que como "minorista de vitaminas", el primo Neil ganaba mil dólares al mes, que en 1949 era un muy buen ingreso. No había que hacer ninguna inversión de importancia, ni había ningún riesgo de por medio. Nutrilite parecía justo el negocio que Rich y yo buscábamos, por lo tanto le firmé a Neil un cheque por dos cajas de Nutrilite y un paquete de ventas. Le dejé en claro a Neil que Rich y yo hacíamos negocios juntos y que si a Rich no le gustaba la idea de Nutrilite, tendría que romper mi cheque. Cuando Rich volvió esa noche de su cita, le mostré las cajas de Nutrilite y le expliqué el programa. Él también se mostró escéptico, pero cuando terminé de contarle lo que Neil había dicho, estaba entusiasmado con la idea. Las dudas que alguna gente tiene con respecto a vender vitaminas desaparecen rápido cuando entra en juego la perspectiva de ganar mucho dinero. Rich estuvo de acuerdo en agregar el negocio Nutrilite a los otros emprendimientos que teníamos en marcha en ese momento, y así nos convertimos en distribuidores Nutrilite. Nunca podríamos haber adivinado cuán lejos nos llevaría esa simple decisión.

Al día siguiente le vendimos una caja de Nutrilite a un hombre que tenía un almacén en Ada. Esa fue una venta fácil porque al hombre le caíamos bien y estaba dispuesto a ayudarnos a empezar. Sin embargo, pronto descubrimos que el éxito en este negocio no nos iba a venir servido en bandeja de plata. Cuando les contábamos a algunos amigos nuestros sobre nuestro nuevo negocio, creían que estábamos locos. Mucha gente pensaba en esos días que las vitaminas eran un gasto innecesario. Pasaron dos semanas y no pudimos vender ni una sola caja y nuestra distribución de Nutrilite no iba a ningún lado. Como las ventas estaban estancadas, comenzamos a pensar que quizás habíamos cometido un error. Parecía algo imposible ganar mil dólares al mes al ritmo que llevábamos. Comenzamos a olvidarnos de Neil y de sus pastillas, y nuestra atención se volcó a los otros intereses comerciales a los que nos dedicábamos.

Al poco tiempo, Neil nos invitó a una reunión de distribuidores de Nutrilite en Chicago. Rich y yo fuimos en automóvil y pensábamos que si esa reunión no nos daba alguna razón para seguir con los productos, probablemente los dejaríamos. Fue una reunión más grande de lo que esperábamos. Había ciento cincuenta personas con aspecto respetable, todos contentos por vender vitaminas y muchos de ellos tenían un éxito considerable en sus negocios Nutrilite. Hablamos con algunos hombres que habían dejado buenos trabajos para vender productos Nutrilite a tiempo completo y para ganar más dinero. Otros recién empezaban, como nosotros, pero tenían un fervor para vender Nutrilite que nos hacía sentir vergüenza. Los conferencistas nos hablaron sobre su éxito en Nutrilite y compartieron estrategias para vender más. Para Rich y para mí, la idea de Nutrilite comenzó a verse cada vez mejor.

TRABAJAR EN SERIO

En el camino de vuelta a Chicago, decidimos dejar todas las otras cosas que estábamos haciendo y trabajar en serio en Nutrilite. Cuando llegamos a Grand Rapids estábamos tan entusiasmados que paramos en una estación de servicio en la calle Hall y sometimos a la persona que estaba detrás del mostrador a una enérgica charla de venta. Compró una caja, quizás más como un gesto amigable que por su deseo de una mejor nutrición.

Nuestro primer objetivo era conseguir cien clientes. Una venta promedio era de 20 dólares y, si podíamos vender entre 100 y 120 cajas al mes, nuestro 40 ó 50 por ciento del total sería 1000 dólares al mes, justo lo que Neil ganaba. Siempre existía la posibilidad de que lográramos que alguien firmara como distribuidor, pero lo primero en Nutrilite era vender. Pusimos avisos en muchos periódicos de distintas ciudades y llamamos personalmente a quienes respondieron. Aquí no hay ninguna historia secreta de éxito: nada más que la venta directa tradicional.

Al poco tiempo hicimos nuestra propia reunión de ventas en el sótano de un restaurante del aeropuerto de Grand Rapids, para organizar a las personas que podían estar interesadas en convertirse en distribuidores de Nutrilite. No estábamos seguros de lo que debíamos esperar, pero pensamos que con toda la publicidad que habíamos hecho asistirían cien personas o más. En vez de eso, aparecieron tan solo ocho personas. Había algo extraño en esas ocho personas. Llegaron todas juntas y no parecían muy contentas de estar allí. Di un breve discurso de bienvenida y luego mostramos una película sobre nutrición, que no pareció interesarle a ninguno de ellos. Una vez que concluimos nuestra presentación, nos desalentó ver que no tenían preguntas. Nadie parecía estar interesado en el negocio. En lugar de eso, los ocho se pusieron de pie y comenzaron a marchar en fila hacia la puerta, sin decir una palabra. Rich y yo estábamos pasmados. Luego de todo lo que habíamos pensado y preparado para esa primera reunión, eso era una gran desilusión. Tratando de imaginar en qué nos habíamos equivocado comenzamos a guardar nuestras cosas y a poner las mesas y sillas en orden. Entonces la puerta se abrió y vimos que uno de los ocho entraba y se dirigió a nosotros: "Probablemente deberían saber quiénes somos. Somos de la organización de ventas de Nutrilite de esta zona. Vimos su aviso en el diario y pensamos que podíamos venir y ver en qué estaban ustedes". Y sin decir una palabra más, se dio media vuelta y salió con paso airoso.

Eso fue doblemente desalentador. No sólo había sido ineficaz nuestro aviso, sino que ahora sabíamos que teníamos competencia establecida en la zona. Sin embargo, perseveramos: seguimos poniendo avisos y organizando reuniones en el aeropuerto. Mostrábamos una película, luego hacíamos una presentación de ventas, igual que habíamos hecho esa primera noche. En ese entonces, tal como ahora, Rich decía casi todo. Yo ayudaba a contestar preguntas e intentaba que el defectuoso proyector no dejara de funcionar. A esa desastrosa primera reunión le siguieron otras más exitosas y el negocio comenzó a crecer. Desarrollamos una pequeña organización de ventas, que en su primer año tuvo un volumen grupal de ventas minoristas de 85.000 dólares.

No fue fácil. No obstante, usábamos una estrategia de ventas que parecía abrirnos puertas. Entregábamos un folleto llamado "Cómo ponerse bien y mantenerse bien". Esencialmente, era un libro de testimonios de personas que decían que Nutrilite los había ayudado a vencer varias enfermedades, sentirse con más energía y vivir una vida más satisfactoria. Cuando volvíamos en busca del folleto, hacíamos una presentación y, si era posible, les vendíamos los productos.

Aproximadamente un año después de comenzar con Nutrilite, Rich, otros distribuidores y yo estuvimos de acuerdo en querer ver las instalaciones de Nutrilite en California, así que nos apilamos en un par de automóviles y nos dirigimos hacia el oeste. Principalmente, queríamos ver si este equipo al que nos habíamos unido tenía algo que lo respaldara, por lo tanto nos detuvimos en una de las granjas de Nutrilite y recorrimos la fábrica. Me pareció muy impresionante en ese momento, a pesar de que era una planta relativamente pequeña de acuerdo a cualquier estándar. Pero con ese viaje comenzamos a darnos cuenta de la importancia de mantener la confianza de los distribuidores mediante visitas a la sede central.

A medida que Rich y yo adquiríamos experiencia, nuestras reuniones de ventas eran mejores y más grandes. Muchas de ellas eran muy exitosas. Algunas de las personas que ingresaron a nuestra organización en uno de esos primeros encuentros armaron con rapidez grandes redes de distribuidores y nuestro negocio ganaba ímpetu. Sin embargo, no todas las reuniones resultaban como las habíamos planeado. Una vez, Rich y yo organizamos una gran reunión de venta en Lansing, Michigan. Hicimos publicidad en la radio, pusimos grandes avisos en los diarios y distribuimos folletos en la calle. El auditorio tenía capacidad para doscientas personas y, de acuerdo a todo el trabajo publicitario que habíamos hecho, nos preguntábamos si iba a ser suficiente. Pensamos que podía ser el comienzo de algo importante.

Esa noche, se presentaron dos personas. Era terriblemente embarazoso dar una presentación de ventas nada más que a dos personas en un salón con doscientos asientos. Es probable que hayamos parecido muy poco entusiastas. Esa misma noche, más tarde, volvimos en automóvil a Grand Rapids. Yo estaba descorazonado y le pregunté a Rich si pensaba que debíamos seguir adelante con Nutrilite. "Si no podemos hacer algo mejor que eso con toda la publicidad que pusimos, quizás sea mejor dejar todo". Durante un momento, Rich bajó la cabeza. Luego vi que una mirada de impetuosa determinación le surgía en la cara. Dijo: "¡Tonterías! ¡No podemos dejar sólo porque tuvimos una mala noche! ¡Sabemos que esto puede funcionar! Además, ya tenemos algunos distribuidores que parece que pueden superar ampliamente todos los volúmenes de venta que tenemos ahora".

Luego de la reprimenda, dirigí mi atención a planificar nuestra próxima reunión. Éste era el Rich optimista y tenaz que yo conocía y no era la primera vez que me animaba a persistir cuando las cosas comenzaban a verse un poco mal. De hecho, si ustedes están buscando "información confidencial" sobre cómo logramos ser exitosos, podrían comenzar con dos palabras: *persistencia y entusiasmo*.

Aunque Rich y yo éramos nuevos en la industria de la venta directa, aprendimos pronto que podíamos tener éxito si seguíamos unas pocas reglas simples. Primero, debíamos creer en nuestro producto. Nadie va a creer que necesita lo que estamos vendiendo si no expresamos genuinamente la creencia personal de que el producto funciona para nosotros. Nutrilite es efectivo— estábamos convencidos de ello. Hasta el día de hoy, tomo los productos Nutrilite como suplemento nutritivo y de verdad creo que han incrementado mi salud a lo largo de los años. Nunca hubiéramos comprado la Compañía Nutrilite en 1972 si no tuviéramos esa fe en el producto. Hoy en día, se alienta a todos los distribuidores de Amway a que usen los productos en sus casas, porque la gente que usa y confía en esos productos está mejor capacitada para transmitir a los clientes los beneficios que generan. De hecho, si conocen a alguien que venda productos Amway pero que no los utilice, ¡comuníquenmelo!

Nuestra segunda regla era tener determinación para triunfar. Cada negocio tiene sus momentos de baja. Muchos potenciales emprendedores se rinden ante el primer signo de problemas. Abandonar la primera vez que surge un problema no es una manera de evitar el fracaso: es una manera de asegurarlo. La paciencia tendrá su recompensa. Muchas veces, si la idea básica del negocio es sólida, la baja resultará simplemente algo temporal y las pérdidas a corto plazo se transformarán en ganancias a largo plazo.

Aprendimos que una tercera regla para el éxito era estar personalmente involucrado en el negocio. Teníamos que saber lo que estaba pasando en nuestra organización de ventas para poder tomar decisiones correctas con respecto a productos y políticas. Teníamos que estar en contacto con cada uno de nuestos empleados y distribuidores de Nutrilite para mantenernos informados. Rich y yo comenzamos la tradición de estar en contacto con nuestro grupo a través de reuniones mensuales "para hablar en voz alta". Se rotaban grupos de empleados de distintos sectores de la empresa y se los animaba a que vinieran y "hablaran en voz alta" si había algún problema que quisieran que nosotros resolviéramos. Además de tomar conciencia de problemas de la empresa, podíamos recoger algunas buenas ideas de estas reuniones. Actualmente, mi hijo Steve y Dick, hijo de Rich, continúan esta tradición en sus funciones como presidente y presidente del directorio. Durante décadas, Rich y yo nos hemos mantenido en contacto con nuestros distribuidores más importantes a través de reuniones a bordo del *Enterprise*, el famoso yate de lujo de Amway. Además de ser una recompensa por grandes logros en la compañía, los cruceros nos brindan información sobre el resultado de las políticas e ideas frescas para nuevos productos. Ahora es más fácil que antes mantener un contacto diario con los distribuidores gracias a la nueva tecnología: un sistema de mensajería llamado Amvox permite que los líderes de la corporación Amway se comuniquen con cada distribuidor y le den noticias, aliento y consejo. Nos quedamos en Nutrilite porque veíamos que tenía potencial. Habíamos dejado otras aventuras comerciales, como la fábrica de juguetes, cuando no funcionaron, y estábamos dispuestos a dejar Nutrilite si veíamos que no resultaba exitosa. Pero vimos que Nutrilite tenía algo único que nos persuadía de que iba a funcionar si estábamos dispuestos a poner el esfuerzo necesario.

ENFOCADOS EN EL INDIVIDUO

Nutrilite tenía una estructura organizativa descentralizada que nos atrajo. En las empresas comunes, las recompensas a los individuos generalmente están limitadas por el éxito de la empresa en conjunto. Más aún, la creatividad individual tiende a ser suprimida en una estructura organizativa centralizada. Por supuesto que la centralización tiene algunos beneficios. Ayuda a tener a un grupo de gente haciendo todo el trabajo de producción, mientras otro grupo se encarga de la contabilidad, otro diseña los productos e investiga y algunos se encargan de los temas legales. Pero la centralización definitivamente tiene desventajas. El micro-control de cada empleado ejercido por docenas de gerentes, comités y vicepresidentes sólo logra aplastar la creatividad en las mismas áreas donde más se necesita. Cada año, las miles de personas brillantes que se van de mega-empresas para iniciar sus propios negocios saben de los efectos asfixiantes de una estructura corporativa rígida. En Nutrilite, cada distribuidor tenía su propio negocio, pero estaba apoyado por una compañía que se encargaba sólo de esas funciones que una organización más centralizada realiza mejor. De esta forma, Nutrilite lograba extraer lo mejor de la creatividad humana a través de la venta directa, a la vez que aprovechaba las economías a gran escala en investigación, producción y otras áreas. Estos beneficios impactaban en el consumidor en forma de productos de mejor calidad y servicio personal.

La estructura organizativa de Nutrilite generalmente se comparaba con una pirámide. En esto no se diferenciaba de otras empresas más tradicionales. En una compañía común, hay un grupo pequeño en lo más alto que cobra muy bien, compuesto por el presidente del directorio, el presidente, el vicepresidente y demás. Por debajo de estas personas se ubica un grupo mayor de gerentes y por debajo de esos gerentes está el grupo más numeroso: técnicos, empleados administrativos, operadores de computadoras, secretarias y operarios. Si dibujan esa estructura en un papel verán que surge una pirámide bastante definida. El ejército está estructurado de la misma manera. Esa forma no tiene nada de siniestro. En realidad, Nutrilite tenía una estructura más fluida en su departamento de mercadotecnia que las corporaciones tradicionales. Lo que la distinguía era que se concentraba en los individuos, no en grupos de empleados. Las personas mantenían el control para manejar su organización de distribución, porque era de ellos y de nadie más. A diferencia de los negocios tradicionales, en los que cada nivel tiene la capacidad de darle órdenes al nivel inferior, la estructura de distribución de Nutrilite mantenía la independencia de cada persona a la vez que recompensaba la cooperación y la emulación. Además, los incentivos a las personas estaban reforzados de manera que las recompensas igualaran el rendimiento. La movilidad hacia arriba no dependía de que el empleado causara una buena impresión a un vicepresidente o a un gerente; dependía solamente del logro personal. Y cualquiera podía iniciar una organización de distribución Nutrilite. No se requería currículum, ni entrevistas, ni títulos universitarios, ni pedidos de antecedentes ni experiencia previa en ventas. Cualquiera podía entrar al negocio por sí mismo si compraba una caja de vitaminas de precio moderado y leía algo de material introductorio.

Cualquiera que haya comenzado un negocio tradicional puede hablar acerca de la gran cantidad de fondos necesarios para comenzar a operar. Generalmente, esto significa apelar a bancos, amigos y parientes para obtener capital de inversión. A veces esto funciona para el emprendedor, pero sobrecargar un nuevo negocio con una gran deuda lo pone en desventaja y puede llevarlo a un fracaso temprano. El sistema de Nutrilite evitaba esos potenciales problemas porque mantenía muy bajos los costos iniciales. Si la organización de distribución Nutrilite no funcionaba por algún motivo, no había que saldar deudas con ningún acreedor, ni liquidar costosos activos, ni había amenaza de quiebra. La fabricación, con uso intensivo de capital, estaba administrada por una organización distinta para evitar que esos costos cayeran en las espaldas de los distribuidores.

Rich y yo estábamos seguros de que Nutrilite estaba fundamentada en algo que podía ser extremadamente exitoso. Por lo tanto, cuando las cosas comenzaban a ponerse negativas, nos recordábamos a nosotros mismos que el enfoque de Nutrilite tenía sentido y que iba a funcionar para nosotros si trabajábamos mucho y le dedicábamos algo de tiempo. Cuando iniciamos Amway algunos años después, nos basamos en el plan organizativo de mercadotecnia básico de Nutrilite e introdujimos mejoras donde creíamos que era necesario.

El principio descentralizado que hizo funcionar a Nutrilite, y que hace funcionar hoy en día a Amway, se traspasa a la esfera política. Hay ciertas cosas que el gobierno central puede hacer bien, como proveer defensa nacional, justicia y protección contra el delito. Sin embargo, organizaciones humanas descentralizadas como las familias y las iglesias locales hacen mejor muchas otras actividades. Cuando el gobierno centralizado intenta tomar las funciones de familias, iglesias, negocios e individuos, toda la sociedad sufre. La inventiva y la creatividad humanas se suprimen y aquellas cosas que antes hacían instituciones descentralizadas se hacen mal o directamente no se hacen.

Muy pronto, sin embargo, aprenderíamos que incluso los mejores ambientes y estructuras no son de mucha ayuda si la integridad se convierte en un problema.

CAPITULO 5

Por qué es importante la integridad

Aunque nuestro negocio Nutrilite iba bastante bien, la organización Nutrilite en el ámbito nacional tenía graves problemas. En realidad, Nutrilite eran dos empresas: *Nutrilite Products Inc.*, que fabricaba los productos, y *Mytinger y Casselberry*, que manejaba la organización de distribuidores de la cual nosotros éramos parte. Durante muchos años las dos compañías habían trabajado juntas en armonía, pero a finales de la década de los 50 la relación comenzó a deteriorarse.

El centro del problema era una acusación que la *Food and Drug Administration* (FDA, organismo gubernamental encargado de controlar alimentos y medicamentos) le hizo a Nutrilite a principios de la década de los 50 por supuesta afirmación excesiva o desleal de eficacia del producto. Para defenderse de la FDA, Nutrilite contrató a un abogado llamado Charles Ryan. Cuando la FDA pidió todos los archivos de Nutrilite correspondientes al caso, Charlie cambió posiciones con la FDA y pidió todos sus archivos. La FDA protestó, y afirmó que, en virtud de ser una agencia gubernamental, no tenían que proporcionar sus archivos. Con el tiempo, la disputa finalizó en la Corte Suprema, donde se decidió a favor de Nutrilite. Apenas se conoció la decisión, la FDA decidió que quería acordar con Nutrilite. En la década de los 50 nadie sabía muy bien qué camino iba a tomar la industria de las vitaminas o qué importancia iba a tener. Era indudable que los médicos estaban preocupados porque las vitaminas, que por supuesto son de venta libre, se transformarían en competencia de la medicina tradicional. Las grandes empresas farmacéuticas tampoco estaban muy contentas. Para la FDA y para la industria tradicional de la medicina, Nutrilite era una molestia que alteraba la armonía.

El resultado de la acusación fue una reglamentación de la FDA de 1955 que obligó a cambiar las políticas publicitarias de Nutrilite. Gracias a Charlie, Nutrilite todavía podía operar, pero esencialmente a la compañía se le prohibió hacer afirmaciones sobre el producto y usar testimonios. Por supuesto, esto redujo la eficacia de venta. Los testimonios, como los incluidos en el libro "Cómo ponerse bien y mantenerse bien", habían sido la manera más efectiva de vender y entonces los ingresos comenzaron a desecarse. Es difícil vender algo si no se le puede contar a la gente que funciona.

A alguien de Nutrilite se le ocurrió la idea de diversificarse hacia los cosméticos, por lo tanto si la FDA lograba dañar permanentemente el negocio de las vitaminas, habría otra fuente de ingresos para seguir funcionando. Así fue que Nutrilite lanzó la línea de cosméticos *Edith Rehnborg* y comenzaron a venderlos directamente a los distribuidores en lugar de hacerlo a través de *Mytinger y Casselberry*.

Luego, todo el asunto referido al contrato entre *Mytinger y Casselberry* y *Nutrilite Products Inc.* explotó. *Mytinger y Casselberry* estaba obligado a comprar todos los productos de Nutrilite para venderlos por medio de la organización de ventas. Esto condujo a una disputa para determinar quién era en verdad el dueño de la organización de ventas, si *Mytinger y Casselberry* o *Nutrilite Products*. Nutrilite trató de atraer distribuidores a su lado y creó una grieta casi fatal en la organización de distribuidores. Apenas comenzó la pelea, la gente dejó de vender los productos (de todas maneras, ya era difícil venderlos por la reglamentación de la FDA) y esperaron a ver cuál sería el resultado. El dueño de Nutrilite, Carl Rehnborg, estaba perdiendo el control de su compañía. Los gerentes que él había contratado tenían sus propios objetivos para Nutrilite, y comenzaron a pelear entre ellos por el control. La necesaria reducción de la compañía empeoraba el panorama; creando aún más tensión interna y distrayendo a los líderes de la venta de productos. Carl, que estaba profundamente unido a su limitada línea de productos y sufría por la fuerte presión reguladora, no fue tan eficaz como tendría que haber sido para resolver estos problemas. Era un visionario, tenía un fuerte impulso emprendedor y tenía buenas ideas para productos, pero estaba obstaculizado por gerentes mediocres. En 1958, *Mytinger y Casselberry* formó un grupo de estudio de nueve distribuidores para aportar soluciones a este problema y fui elegido presidente del directorio. Disfrutamos de cierto éxito resolviendo las diferencias entre Nutrilite y la organización de ventas, pero yo no tenía grandes esperanzas en el futuro de Nutrilite. Nutrilite presionaba para incursionar en cosméticos y *Mytinger y Casselberry* eran reacios a eso. Además, *Mytinger y Casselberry* y los líderes de Nutrilite sentaban un muy pobre precedente para la futura cooperación. Lee Mytinger y Bill Casselberry no se llevaban bien y la segunda generación de líderes —el hijo de Mytinger y el yerno de Cassel-berry— tampoco reaccionaban bien ante las circunstancias. Ningún miembro de las familias Mytinger o Casselberry se llevaba bien con Carl Rehnborg. Toda la situación se deterioró hasta llegar al punto de hacer acusaciones a dedo. Rich y yo estábamos seguros de que, aunque el grupo de estudio había resuelto algunos de los problemas existentes, seguramente surgiría algu-na dificultad en el futuro que los líderes no podrían manejar. La raíz de los problemas era la falta de confianza entre Nutrilite, *Mytinger y Casselberry* y algunos distribuidores, algo casi impo-sible de reparar. Nuestros problemas con Nutrilite no eran con Carl Rehnborg. Él era un gran hombre y yo tuve bastante contacto con él incluso después de que Rich y yo iniciáramos Amway. Carl podía hablar con inteligencia sobre temas variados, de los cuales la astronomía era uno de sus favoritos. Era un hombre fascinante y las conversaciones que teníamos cuando cenábamos siempre eran edificantes. Como Rich y yo siempre hemos respetado su trabajo en el ámbito de la nutrición, Amway recientemente donó la Cátedra Carl F. Rehnborg de Prevención de Enfermedades a la Facultad de Medicina de la Universidad de Stanford. (Sam, el hijo de Carl, recibió su doctorado en Stanford, de allí la conexión.)

Los hechos de Nutrilite nos enseñaron a Rich y a mí la importancia de la confianza mutua en los negocios. Los líderes habían violado algunos principios bastante básicos y al hacer eso enemistaron a sus distribuidores. En cualquier negocio de mercadotecnia multinivel es importante mantener líneas de auspicio definidas. Es decir, si Ed le presenta a Joe la oportunidad del negocio, o lo auspicia, entonces Joe no puede comprarle los productos a otro distribuidor. Esta regla evita que los distribui-dores traten de robar las organizaciones de ventas (y mercados) de otros distribuidores y se garantiza que aquellos que salen y auspician reciban las recompensas por sus esfuerzos. Nutrilite comenzó a romper las líneas de auspicio a diestra y siniestra, y el problema se hizo tan serio que Rich y yo comenzamos a buscar una manera de proteger a nuestros distribuidores. La confianza es algo frágil, como la porcelana. Si se cae, se quiebra. Puede remendarse con pegamento, pero siempre se notarán las rajaduras. Si quiebra la fe de alguien, esa persona será reacia a confiar en usted la próxima vez.

En un punto del proceso de arbitraje entre Nutrilite y sus distribuidores, Carl me ofreció el puesto de presidente de Nutrilite. Era una oferta tentadora. Ese salario hubiera sido mucho más de lo que yo ganaba como distribuidor de Nutrilite, pero lo rechacé. Tenía frente a mí un ingreso seguro y estable y la oportunidad de intentar verdaderos cambios en Nutrilite. La tarea no me superaba: al ayudar a resolver la disputa entre los líderes de Nutrilite y *Mytinger y Casselberry* había demostrado algo de aptitud en un puesto de liderazgo. No obstante, aceptar la pérdida de mi independencia era demasiado para mí. Para Rich y para mí era importante trabajar por nuestra cuenta, fijar nuestros propios caminos y tomar decisiones que fueran verdaderamente propias. Incluso en un alto puesto en Nutrilite, yo sería un empleado, limitado en mi capacidad de hacer lo que me parecía mejor y a merced de las decisiones de otra persona. Rich y yo también tuvimos en cuenta el impacto que mi nuevo empleo tendría en nuestra amistad y en nuestra sociedad. Si yo me convertía en presidente de Nutrilite, podríamos preservar algunos aspectos de nuestra sociedad. Rich podría haber ingresado a la gerencia de Nutrilite como gerente general operativo o con alguna otra función. Pero sin duda, algunas cosas hubieran cambiado y no de la manera que queríamos.

ETICA BASICA DE LOS NEGOCIOS

Desde el principio de nuestro trabajo en Nutrilite, Rich y yo buscamos manejar nuestra organización de ventas de acuerdo a los principios bíblicos de integridad, fidelidad y veracidad. Cuando comenzamos Amway, nos aferramos a los mismos criterios éticos. Sabiendo que dependemos de Dios para tener la capacidad de hacer lo que está bien, cubríamos nuestras actividades diarias con oraciones personales. Todas nuestras reuniones corporativas se abrían con rezos y Rich y yo murmurábamos oraciones todo el tiempo. Creemos que fue efectivo. Sin la gracia de Dios, Amway nunca hubiera tenido éxito.

Un negocio sin integridad será castigado en el mercado. Si los productos de una empresa no cumplen con lo que prometen los avisos, o si la calidad es contradictoria, la empresa perderá clientes a manos de sus competidores. Trabajadores experimentados, frustrados por las políticas internas, parten hacia otros empleos. Por otro lado, una empresa conocida por su integridad será gratificada con una mayor demanda de sus productos y mayor lealtad de clientes y empleados.

Un gran beneficio secundario de la integridad es la confianza. Si uno puede creer en alguien, puede confiar en él y quizás haya sido eso lo que nos ayudó a Rich y a mí a establecer la política que tenemos con respecto a nuestras decisiones empresariales. Por un lado, nunca procedemos con una nueva directiva a menos que los dos hayamos estado de acuerdo. Por otro lado, como confiamos tanto mutuamente, nos pusimos de acuerdo en que cada vez que uno estaba ausente, el otro estaba a cargo. A cargo de todo.

Por ejemplo, un año yo estaba a punto de irme un mes de vacaciones. Estábamos planificando una nueva cafetería para los empleados y antes de irme le expliqué al contratista Dan Vos cómo había que construirla. Una vez que me fui, Dan comenzó a trabajar en la cafetería, hasta que se tropezó con Rich que quería hacer unos cambios bastante importantes en los planos. Dan protestó y le dijo que mis órdenes habían sido diferentes, a lo que Rich contestó: "Eso no quiere decir nada. Jay ahora no está acá y nuestra política es que cuando uno no está, manda el otro.

Así que ¡se hace de esta manera!". A Dan lo desconcertó el repentino cambio de planes, pero Rich sabía que yo estaría de acuerdo con sus cambios, fueran lo que fueran. Confiaba en que Rich usaría su propio juicio, al igual que él confía en mí, y Rich sabía que yo nunca lo criticaría por hacer en mi ausencia, lo que le parecía correcto. Dan nunca fue convocado para volver la cafetería a sus especificaciones originales y nadie nunca nos oyó discutir sobre eso. Como nuestra sociedad tenía integridad, confiábamos mutuamente en que siempre actuaríamos defendiendo los intereses de la empresa.

Sin embargo, a esa altura de nuestra relación con Nutrilite, nuestra fe en el negocio estaba en cuestionamiento. Y poco sospechábamos que empeoraría, forzándonos a tomar una importante decisión que cambiaría nuestras vidas juntos.

CAPITULO 6

Pegar
el salto

En 1958, Rich y yo habíamos desarrollado una organización de ventas de productos Nutrilite fuerte y sana, pero nuestros cinco mil distribuidores estaban enojados. La lucha interna entre los líderes de Nutrilite comenzó a generar pérdidas y tanto el estado de ánimo como las ventas comenzaron a caer. La reglamentación de la FDA también tenía un grave efecto y la tensión aumentaba. Algunos de nuestros distribuidores incluso hablaban de abandonar Nutrilite por completo. Todos nosotros habíamos hecho una inversión considerable de tiempo y energía en Nutrilite y, entre sus líderes y el gobierno federal, esa inversión se veía amenazada con la destrucción total. Había que hacer algo y hacerlo rápido.

Pensábamos que la organización de ventas Ja-Ri podía ser salvada si podíamos dejar de apoyarnos en los productos Nutrilite. Dejar de vender las vitaminas Nutrilite no estaba entre las opciones posibles. Sin embargo, si lográbamos que nuestros distribuidores expandieran sus ofertas, el error de los líderes de Nutrilite no destruiría la organización de ventas. Esto no iba a ser una tarea fácil. Muchos distribuidores de Nutrilite eran tan leales al producto que dudábamos que fueran a vender otra cosa. Teníamos que estructurar nuestra diversificación con mucho cuidado, y asegurarnos tanto de elegir el momento oportuno, como de que los nuevos productos fueran los correctos. Éramos totalmente conscientes de los riesgos: cabía la posibilidad de que ningún distribuidor del suplemento nutritivo de Nutrilite quisiera cambiar en absoluto. Teníamos que sorprenderlos a la vuelta de la esquina, lo suficientemente disgustados con los líderes de Nutrilite que estuvieran dispuestos a transferir su lealtad, pero no tan disgustados que no quisieran vender nada.

En el verano de 1958 tuvimos una reunión con nuestros principales distribuidores en Charlevoix, Michigan. Allí anunciamos nuestros planes para dejar de confiar ciegamente en Nutrilite y así desarrollar una nueva línea de productos. Les dijimos: "Ustedes dedicaron muchas horas al desarrollo de un negocio alrededor de estos suplementos nutritivos, pero los gerentes han tomado determinaciones que han estremecido vuestra fe en ellos. Pensamos que pueden usar su organización para vender otros productos además de Nutrilite. Proveeremos gerentes que mejorarán la oportunidad que desarrollaron con Nutrilite, y los capacitarán para que reciban una retribución sustancial por la inversión de tiempo y energía que hicieron en su negocio".

No podíamos forzar a nadie de nuestra organización de ventas a venir con nosotros. Los distribuidores de Nutrilite eran independientes, al igual que los de Amway actualmente. Por lo tanto, le dimos a cada persona de nuestro grupo la oportunidad de quedarse con nosotros o seguir manejándose enteramente con Nutrilite. Esto era una verdadera prueba para nosotros, porque la decisión de ellos dependía de que confiaran en nuestro liderazgo y juicio. Si decidían no seguirnos, para nosotros sería volver al principio. Afortunadamente, cada persona presente en la reunión de Charlevoix decidió planificar en una nueva dirección con nosotros. Estos individuos leales formarían el núcleo de nuestra nueva aventura de venta directa.

El rumor se diseminó rápido, y no pasó mucho tiempo antes de que distribuidores de Nutrilite de otras organizaciones quisieran unirse a nosotros. Al principio, nos negamos a admitirlos porque no queríamos depredar Nutrilite y tomar su ejército de venta en un momento en el que estaban débiles. Finalmente, luego de varios años, permitimos a la gente de otros grupos de venta de Nutrilite que se uniera a nosotros, pero mantuvimos sus líneas de auspicio intactas.

QUE VENDER

Rich y yo pensamos mucho en la línea de productos que íbamos a agregar. Fuera lo que fuera, tenía que ser algo que cualquiera pudiera vender. Una venta de Nutrilite requería de una presentación de una hora para convencer al cliente potencial de que necesitaba suplementos nutritivos. Nuestra línea de productos tenía que ser algo que todos supieran que necesitaban. Al recordar la devastadora confrontación de Nutrilite con el gobierno federal, decidimos que también necesitábamos algo que no estuviera altamente reglamentado. Actualmente estaríamos muy presionados para encontrar un solo producto que cumpla con ese criterio, pero a finales de la década del 50 todavía había algunos productos relativamente libres de reglamentaciones federales o estatales.

Elegimos productos de limpieza, y en estas cuatro décadas demostraron haber sido una buena elección. Para bien o para mal, hoy Amway se identifica con jabón más que con cualquier otro producto que vendamos. Al elegir algo que fuera fácil de vender, hicimos algo así como un cambio de dirección en la venta directa. Hasta el día de hoy, Amway ha seguido el principio de vender productos que ejercen una gran atracción y se venden con un mínimo de esfuerzo.

Nuestro primer producto fue un limpiador concentrado biodegradable llamado Frisk, que más adelante se convirtió en nuestro Concentrado Líquido Orgánico, o LOC (limpiador multipropósito). Habíamos visto los problemas que podían surgir cuando se dependía de un tercero para la elaboración, por eso uno de los primeros objetivos que nos propusimos fue elaborar nuestros propios productos. Aunque eso no era práctico para una empresa que recién empezaba, nos convencimos aún más de su importancia cuando uno de nuestros primeros proveedores nos abandonó. Para reemplazarlo, a principios de 1960, comenzamos a adquirir nuestro limpiador líquido de la fábrica *Atco Manufacturing Co.* de Detroit. Para asegurarnos que podíamos depender de este nuevo proveedor, compramos el 50% de las acciones de la empresa. Como dueños de la mitad de la firma, pudimos convencer a *Atco* de que cambiara el nombre por *Amway Manufacturing Corporation*, y logramos que la fábrica se mudara a Ada ese mismo año. Hoy, si visitan la Sede Mundial de Amway en Ada, Michigan, pueden ver nuestro enorme complejo de oficinas y fábricas a lo largo de la "milla de Amway" sobre la ruta M-21; en ese complejo se fabrican muchos productos Amway en la actualidad.

El fundamento de nuestro emprendimiento era el Plan de Ventas, el cual se volvió conocido afectuosamente como el "Plan" en los círculos de Amway. El Plan estaba basado, a grande rasgos, sobre la estructura de Nutrilite, pero hicimos varias modificaciones significativas para evitar los problemas que habían surgido en Nutrilite y mejorar los incentivos individuales. Rich y yo desplegamos una gran hoja de papel madera en el piso de la cocina de mi casa y comenzamos a deducir cómo podíamos enviar las bonificaciones financieras directamente a quienes más trabajaban. Dentro del Plan de Ventas, el dueño de cada negocio tiene incentivos para vender productos y para desarrollar una organización propia de ventas que distribuirá aún más productos. Cuanto más vende un individuo más dinero gana, y cuanto más vende la organización de esa persona, más gana él. Nadie gana un centavo a menos que se vendan productos.

Cuando introdujimos nuestra organización de ventas de Nutrilite en Amway, preservamos todas las líneas de auspicio para que ninguno de nuestros distribuidores perdiera su posición en la transición. Incluso, pusimos a mi primo Neil Maskaant, que nos había hecho ingresar a Nutrilite, por encima de Ja-Ri en la nueva organización. Era algo totalmente justo: Neil nos había introducido al negocio y, según nuestra opinión, tenía derecho a parte de las ganancias mientras vendiéramos Nutrilite. Neil y su esposa fallecieron hace algunos años, pero sus herederos siguen recibiendo ingresos por su participación en el negocio.

En nuestros esfuerzos por mover automáticamente el dinero a los más esforzados, el plan que diseñamos resultó inevitablemente complejo. Como Amway se desarrolló rápidamente, se le hizo imposible a los empleados de Amway mantener los registros de todas las ventas individuales y grupales con calculadoras. Actualmente, computadoras gigantes en los cuarteles centrales de Amway funcionan las veinticuatro horas del día calculando el volumen de ventas individuales de productos y ventas de grupos, e imprimiendo cheques por ganancias para más de dos millones de distribuidores de Amway en todo el mundo. En esencia, el Plan no ha cambiado en todos estos años, aunque hemos tenido que agregar varios niveles superiores para aquellos distribuidores que alcanzaron ventas más allá de nuestras predicciones.

Desde el principio, la importancia de la línea de auspicio fue fundamental para el Plan de Ventas de Amway. La amarga experiencia que tuvimos con Nutrilite nos había causado una profunda impresión a Rich y a mí, y nos aseguramos que las líneas de auspicio estuvieran bien protegidas. Nos hemos esforzado mucho en estos años para mantenerlo así. Creo que nuestros distribuidores lo han apreciado. Saben que su arduo trabajo será recompensado porque Amway no los defraudará. Años después de iniciar Amway, compramos una cantidad de acciones de Nutrilite que nos otorgaron el control de la empresa, por las cuales pagamos 22 millones de dólares. Esto nos permitió vender sus suplementos nutritivos de alta calidad sin perder la medida de control que considerábamos esencial en 1959, y esto permitió a los distribuidores de Nutrilite la opción de vender toda la línea de productos Amway.

Los comienzos de Amway fueron modestos. En abril de 1959 la "Asociación del Modo Estadounidense" ("American Way Association") empezó como una nueva división de Ja-Ri en los sótanos de nuestros hogares en Windy Hill, Ada. Mi sótano era la oficina, y el de Rich era el almacén. Para ahorrar dinero, compartíamos una línea telefónica y usábamos un timbre para avisarnos cuándo teníamos que atender. Ese año pasé muchas horas en el sótano para escribir manuales de venta, imprimirlos en el mimeógrafo y compaginarlos en la mesa de ping-pong.

Nuestras esposas no estaban tan convencidas como nosotros de nuestras oportunidades de triunfar, pero ayudaron activamente desde el principio. También estuvieron con nosotros desde el comienzo Walter y Evelyn Bass, Fred y Bernice Hansen, Joe y Heleyn Victor, George y Eleanor Tietsma y Jere Dutt, entre otros. Nuestra primera empleada fue Kay Evans, una secretaria de media jornada. Como ese primer año el negocio creció, rápidamente nos dimos cuenta que necesitábamos una nueva estructura corporativa y un nombre más pegadizo y más fácil de recordar. Por eso, en noviembre de 1959 formamos *Amway Sales Corporation* para adquirir e inventariar productos, para venderlos a los distribuidores y administrar el Plan de Ventas. También formamos *Amway Services Corporation*, para manejar seguros grupales y otros beneficios para la organización de distribuidores.

Cualquier hombre de negocios podrá decirle a Ud. que los primeros tres años de vida de un emprendimiento comercial son los más difíciles. En nuestro caso, comenzamos con el beneficio de contar con una organización de ventas intacta para vender productos Nutrilite. Rich y yo teníamos experiencia en establecer negocios, lo que resultó de incalculable valor cuando establecimos Amway. Recordamos todos nuestros éxitos y fracasos pasados: los días del servicio aéreo Wolverine, el restaurante, *Stone Mill Products, Grand Rapids Toy Company* y más recientemente Nutrilite. No sabíamos si esta nueva aventura iba a ser un éxito como el servicio aéreo o un fiasco como la fábrica de juguetes. La industria de la venta directa no estaba madura en la década de los 50, y no había un modo establecido de abocarse a este tipo de negocios. En un sentido éramos pioneros, y teníamos que aprender mediante prueba y error. Al principio, hicimos muchos cambios, probando distintas cosas para ver qué funcionaba mejor.

Con el tiempo, surgió el tema de los cargos y lo manejamos a nuestra manera pragmática usual: nos turnábamos. Un año, Rich sería presidente del directorio y yo presidente, y al año siguiente yo sería presidente del directorio y Rich presidente. Esto funcionó durante algunos años, hasta que nuestros abogados nos dijeron que necesitábamos decidirnos de una vez por todas; complicábamos las cosas sin necesidad. Por eso, hablamos unos minutos y finalmente Rich dijo: "Jay, eres el mayor, así que tienes que ser el presidente del directorio".

EXPERIENCIA DE PARTICIPACION ACTIVA

Al comienzo experimentamos con varios productos. El LOC, o Concentrado Líquido Orgánico, fue nuestro sostén durante un tiempo, pero nos diversificamos tan pronto como pudimos. El detergente de lavandería SA-8 fue una adición temprana y duradera a nuestra línea de productos. Al poco tiempo, agregamos artículos de cocina y equipamiento para purificar el agua del hogar. Otros intentos no tuvieron tanto éxito. Incluso vendimos refugios anti-bombardeos y generadores de electricidad, algo que sólo se entiende en el marco de los tensos años de la guerra fría. Nunca vendimos muchos, quizás porque nuestro Plan de Ventas en ese momento no estaba adecuado a productos que requerían pericia para instalación y mantenimiento.

Rich y yo también teníamos un enfoque activo en el desarrollo de nuevos productos. Una vez, cuando estábamos probando distintas fórmulas de cera para automóviles, usamos uno de mis automóviles como laboratorio. Llevamos varias botellas a la entrada de mi garaje y frotamos las distintas mezclas en varias partes de mi automóvil. El que brillaba más y rechazaba la suciedad por más tiempo se convirtió en nuestro famoso Silicone Glaze. ¡Aunque mi automóvil nunca quedó igual luego de los experimentos que le hicimos!

De paso les digo que ensuciarse las manos parece ser un ingrediente clave en la vida emprendedora. El libro de George Gilder, *El espíritu de la empresa (The spirit of enterprise)*, cuenta la historia de Thomas J. Fatjo, quien ingresó al negocio de la recolección de basura de manera activa a mediados de la década de los 60. Como creía que el negocio de la recolección de residuos sólidos estaba a punto de despegar, se compró un camión recolector y comenzó a manejarlo puerta a puerta en Houston, Texas. Una mañana la compactadora se rompió cuando todavía le faltaban más de setenta casas. Como no era un hombre que dejara a sus clientes sin servicio, Fatjo subió a la caja del camión y comenzó a pisotear la basura con sus propios pies. Mientras estaba hundido hasta los codos en desperdicios, quizás Fatjo se haya preguntado si valía la pena seguir en ese negocio. Sin embargo, perseveró y creó *Browning-Ferris Industries*, la empresa más grande del mundo en eliminación de residuos sólidos. Catorce años después de su nada envidiable batalla con la compactadora, la empresa de Fatjo tenía 500 millones de dólares de ganancias y cotizaba en la Bolsa de Valores de Nueva York. Actualmente, Fatjo atribuye el sorprendente crecimiento de Browning-Ferris a su experiencia de participación activa en el negocio de recolección de basura.

Al principio conocimos a algunas personas que se quedaron con nosotros y que han participado de nuestro crecimiento durante décadas. Uno de ellos fue Wally Buttrick, un estudiante del secundario Lowell de diecisiete años que ganaba dinero para sus gastos cortando césped en Ada. Impresionado por el esfuerzo que ponía al cortar césped, le ofrecí trabajo como operador del mimeógrafo. Emprendió ese trabajo con toda la energía que tenía, y al poco tiempo lo teníamos haciendo toda clase de tareas administrativas a medida que el negocio se expandía.

Al poco tiempo, Wally terminó la escuela secundaria e ingresó a un curso de preparación para la universidad, pero las cosas en Amway estaban yendo tan bien que decidió no entrar a la universidad en ese momento. A medida que Amway crecía y prosperaba, pusimos a Wally a cargo del nuevo local de impresión, que dirigió hasta 1963. Ese año lo nombramos gerente de coordinación de campo y le dimos responsabilidad adicional. Al año siguiente, con veintiún años de edad, Wally tenía quince personas a su cargo. Al poco tiempo, lo ascendimos para que dirigiera otro importante departamento.

Desde adentro de Amway, Wally veía a distribuidores que alcanzaban grandes niveles de logros y se hacían ricos. Casi nueve años después de trabajar como empleado, Wally decidió que quería tomar parte en la acción y se convirtió en distribuidor.

Siendo Wally tan trabajador, pronto logró un negocio muy exitoso y renunció a su trabajo en Amway. Aunque estábamos muy contentos con su éxito como distribuidor, lamentábamos perder a un empleado tan maravilloso. La partida de Wally provocó lo que se conoció como "la regla de Wally Buttrick", que impedía que los empleados de Amway se convirtieran en distribuidores. Esta regla ahora se flexibilizó, pero formó una parte única en la historia de Amway.

Además de todos los individuos que ayudaron a hacer de Amway lo que es hoy en día, varias compañías fueron indispensables en esos primeros años. Si no hubiera sido por la ayuda del *Michigan National Bank* y la paciencia de *Monsanto Chemical*, Amway nunca hubiera podido sobrevivir a esos primeros tiempos. Era muy evidente que no estábamos bien posicionados en lo referente al riesgo crediticio en 1959, ni durante varios años posteriores. El *Michigan National Bank* nos otorgó préstamos cuando ningún otro banco lo quería hacer. *Monsanto*, que en un principio fue un proveedor importante, nos retuvo como clientes cuando otros proveedores hubieran perdido la paciencia. Recuerdo que una vez nos visitó un gerente regional de ventas de *Monsanto* justo uno o dos años después del inicio de Amway. Le contamos sobre nuestro pequeño progreso, nuestras esperanzas para el futuro y nuestra falta de dinero contante y sonante. Pero debe haber pensado que lo lograríamos, porque estuvo de acuerdo en vendernos todo lo que necesitábamos y nos dio un generoso plazo de sesenta días entre la entrega y el pago.

No estuvimos en buen estado financiero durante varios años, por lo tanto éramos reacios a darle a *Monsanto* detalles completos de nuestra condición. Una vez, luego de evitar darle a *Monsanto* durante un año un resumen de ganancias, su gerente de créditos vino a examinarnos. Luego de presionarnos un poco, le mostramos nuestro estado de ganancias. Tenía un neto valuado en 10.000 dólares. En ese momento, le debíamos 60.000

dólares a *Monsanto*. Varios años más tarde, cuando Amway estaba en una mejorada posición financiera, el mismo hombre vino a Ada a darnos un premio por comprar más de un millón de libras de materia prima de *Monsanto* en el transcurso de un mes. Nos preguntó si recordábamos el día en que le dimos ese primer estado de ganancias. Dijo: "Cuando vi su valor neto y pensé en lo que nos debían, nunca imaginé que llegaría este día". Para *Monsanto*, la paciencia para luchar con un nuevo cliente tuvo su recompensa cuando nos establecimos. Para Amway, dicha paciencia significó la diferencia entre sobrevivir y cesar las operaciones. Hasta el día de hoy Amway hace negocios con *Monsanto* y con el *Michigan National Bank*, porque todavía creo en la lealtad a los viejos amigos.

Algunas páginas más atrás, les presenté a otro socio de los primeros tiempos, el contratista Dan Vos. En 1960, pensábamos mudar Amway a una estación de servicio abandonada de 36 por 54 metros en Ada, y Rich estaba parado afuera mirando (¡y quizás tratando de imaginarse dónde se haría el primer agregado!). Cuando Dan pasó en una de las camionetas de su empresa, Rich vio el letrero de *Vos Construction* en el costado y le hizo señas para que se detuviera. Los dos hombres se pusieron a hablar, y Rich le pidió a Dan que pusiera una puerta para un baño y que construyera unos estantes adicionales en el viejo edificio. Era un trabajo menor, uno por el que la mayoría de los contratistas ni se hubiera molestado, pero Dan envió esa tarde a dos hombres en una camioneta para que hicieran el trabajo. Dan ni se imaginaba que ese pequeño trabajo iba a conducirlo a decenas de millones de dólares en trabajos de construcción durante las siguientes cuatro décadas. A ese primer trabajo le siguieron otros, cada vez más grandes, y cada uno se concretó luego de un apretón de manos y una promesa. Primero se hizo un agregado de 36 por 54 metros en la parte posterior del edificio, lo que duplicó el tamaño del nuevo hogar de Amway. Al poco tiempo, Dan hizo otra construcción que volvió a duplicar el tamaño. Unas semanas después de poner esos estantes en la vieja estación de servicio, Dan Vos nos construyó una fábrica de 515 metros cuadrados. Al año siguiente, le dimos seis nuevos proyectos de construcción. A finales de 1964, Dan había construido cuatro almacenes, un edificio de oficinas de 1.900 metros cuadrados, un patio de tanques, un conjunto de silos de acopio, y ocho o diez ampliaciones a edificios ya existentes.

A medida que Amway seguía creciendo, seguimos requiriendo del talento de Dan Vos. No podría haber existido un programa de construcción más eficiente: todo fue hecho en base a confianza mutua. En la actualidad, la planta física y las instalaciones de oficinas de Amway suman un total de 386.000 metros cuadrados divididos en ochenta edificios separados. Casi todo ha sido construido por *Vos Construction*, casi todo sin contratos formales ni abogados. La fidelidad va en ambos sentidos. Nunca tuvimos ningún problema grave con el trabajo de Dan Vos. Dan comparte con Rich y conmigo el pensamiento que los hombres de negocios deberían hacer su trabajo bien y hacer todo para gloria de Dios. Un hombre de negocios puede glorificar a Dios de muchas maneras a través de su trabajo: para Dan Vos, cumplir sus promesas y hacer un trabajo de calidad es parte de eso. Dan también estaba comprometido con las iglesias locales. Antes de jubilarse, su empresa había construido más de cien edificios para iglesias.

Al poco tiempo Amway ya estaba lejos de su humilde origen, y Rich y yo nos adaptamos a las nuevas necesidades de la empresa. La sorprendente tasa de crecimiento de Amway puso a prueba nuestras aptitudes para el liderazgo, pero logramos que las cosas siguieran su curso normal con la ayuda de un hombre llamado Clair Knox. La tarea principal de Clair era asegurarse que Rich y yo no tomáramos el camino equivocado en el negocio. Él veía venir un problema potencial y lo enfocaba convocándonos a Rich y a mí a una pequeña reunión. Si Rich y yo no le prestábamos atención a un asunto importante, Clair le ponía fin al obligarnos a resolver esos asuntos antes que se transformaran en verdaderos problemas. Probablemente, su trabajo fue más beneficioso de lo que nosotros podíamos darnos cuenta en ese momento.

A medida que Amway se expandía, Rich y yo desarrollamos nuestras propias áreas de competencia. Naturalmente, Rich se inclinó a los discursos motivacionales y a las relaciones con los distribuidores, mientras que yo desarrollé habilidad para el análisis financiero y los asuntos internos. No fue una actitud pensada, como si nos hubiéramos sentado y dijéramos: "Bien, yo me encargo de la expansión internacional y tú de la investigación y el desarrollo", y etcétera. Más que nada, nos entendíamos: cada uno comprendía los puntos fuertes del otro y le dábamos lugar para que los desplegara en su máximo potencial. La especialización que desarrollamos ayudó a que Amway funcionara sin sobresaltos durante décadas.

PREVENIR LA DESTRUCCION

Justo antes de la medianoche de un cálido viernes en julio de 1969, yo estaba sentado en mi sala de estar leyendo cuando me sobresaltó un ruido atronador que sacudió las ventanas. Primero pensé que el ruido era de una explosión sónica de un avión militar, pero eso hubiera sido insólito en Ada, Michigan. Cuando me paré y caminé hacia la ventana, vi un nefasto resplandor naranja por sobre los árboles hacia el norte. Mi corazón latió con violencia y mi garganta se contrajo de miedo cuando me di cuenta de que seguramente el resplandor provenía del complejo fabril Amway, situado a menos de un kilómetro de distancia. El teléfono sonó y cuando lo contesté escuché a Bernard Schaafsma dándome terribles noticias. Había habido una explosión en el ala este de la fábrica Amway, en la división de aerosoles. Mi cabeza daba vueltas. Rich estaba en su barco en Charlevoix, Michigan.

Le dije a Bernard: "Llama a Rich. Yo estoy en camino". Me vestí rápidamente y le dije a Betty lo que había pasado, me subí al automóvil y conduje a través de Ada hasta Amway. Cuando comencé a ver la fábrica, me horrorizó ver que las llamas se elevaban seis metros por sobre lo que había sido una de las partes más propensas a incendios de todo el edificio. Pensé en el patio de tanques de derivados de petróleo a varios metros de la pared este de la división de aerosoles y aceleré. Un asistente del comisario me detuvo en la puerta este. Se enteró que era mi fábrica la que se estaba incendiando y me dejó pasar.

Los bomberos habían llegado cuatro o cinco minutos antes que yo y todavía estaban conectando las mangueras. Parecía que el techo de la casi nueva división de aerosoles se había derrumbado, y abajo había un infierno rojo anaranjado. El estruendo del combustible que se quemaba era ensordecedor. Los empleados Clayton Jastifer, George Simington y George McManis, corriendo un gran riesgo personal habían sacado del edificio camiones con acoplados y tanques remolcadores para prevenir mayores daños y la posibilidad de otra explosión. Varios otros empleados estaban a punto de ingresar a un edificio de oficinas adyacente para rescatar unos archivos importantes, pero los detuve: "Olvídense de los papeles; ¡saquen a la gente!". Les dije.

Dan Vos llegó a los pocos minutos. Cuando oyó en la radio que el complejo Amway se estaba incendiando, se apresuró hacia el mismo hasta que un policía en el puente de Ada le dijo que tendría que volverse debido al incendio. Dan dijo: "¡Voy a llegar allí; yo construí ese edificio y usted no va a detenerme!". Cuando Dan vio que la obra hecha por él era devorada por las llamas, se puso a llorar. Después me dijo: "Ya sé que no se debe tener tanto amor por un edificio, pero ver tu trabajo destruido por las llamas te destruye el corazón". Gracias a Dios, nadie murió en el incendio, aunque resultaron heridas diecisiete personas, dos de gravedad. El fuego causó daños por más de medio millón de dólares y destruyó por completo 1.300 metros cuadrados de nuestras instalaciones de 41.400 metros cuadrados. La explosión inicial inutilizó el sistema automático de rociado para incendios, pero la mayoría de las otras medidas de seguridad lograron mantener el fuego cercado.

Cuando vi que el fuego estaba controlado y se estaba atendiendo a los heridos, me dirigí a Dan y le dije: "Me voy a casa. Está controlado y yo no tengo nada más para hacer aquí". Es probable que se haya preguntado cómo podía irme a casa mientras mi negocio se incendiaba, pero no me fui a dormir: me fui a casa para trabajar. Había que encontrar nuevos proveedores, había que construir una nueva división de aerosoles y, mientras tanto, había que reubicar a los empleados de la planta de aerosoles. A la mañana siguiente, se citó a los gerentes a las siete de la mañana y nos pusimos a trabajar.

En la actualidad, Amway tiene su propia "dotación de bomberos" y algunos empleados hacen cursos especiales sobre prevención y extinción de incendios para evitar que el desastre de 1969 se repita. Nuestros bomberos son reconocidos por su profesionalismo y, en ciertas ocasiones, se los convoca para que ayuden a las brigadas de Ada.

Lamentablemente, estábamos a punto de enterarnos que para apagar "algunos incendios" se necesita algo más que un cuerpo de bomberos de elite...

CAPITULO 7

Ataque
a Amway

En una oportunidad, alrededor de la media-
noche, sonó el teléfono en mi casa de Ada. Era una prima lejana.
No la conocía en persona, pero la había visto en algunas
reuniones familiares y sabía quién era. Tenía alrededor de veinte
años y hacía pocos meses que se había casado. Estaba llorando.
No sabía a quién recurrir por eso me llamó a mí.

Ella y su marido habían juntado todos sus ahorros y habían
comprado una participación en un plan piramidal por 4.000

dólares. El fiscal general de Michigan se había enterado del esquema, y el operador del plan había convocado una reunión de todos los titulares en Lansing para pedirles una segunda ayuda monetaria.

De alguna manera los promotores del plan lograron pararse allí y decirle a toda esa gente que para salvar su dinero original tendrían que hacer otra contribución. No había nada que pudiera decirle a mi prima, excepto que no derrochara más dinero y que esperara que el gobierno y que las autoridades obligaran a que se le devolviera parte de lo invertido.

Ellos le estaban vendiendo a la gente una distribución para que vendieran distribuciones a otras personas. Sin embargo, una distribución de cualquier empresa sólo puede alcanzar valor a través de la venta de productos útiles. Una distribución por sí misma no es dinero inmediato: es necesario trabajar.

Este esquema que atrapó a mi prima llevó la venta de distribuciones hasta el extremo. Eliminaron los productos. En lugar de vender productos, se suponía que el distribuidor vendía una idea, un programa que convenciera a cualquiera que podía ser genial y ganar mucho dinero.

En las décadas de los 60 y 70, proliferaron estas operaciones que se conocieron como esquemas piramidales. Estas organizaciones atraían a ingenuos y confiados prometiéndoles fabulosos rendimientos del capital invertido con poco esfuerzo: lo único que tenían que hacer los miembros era reclutar a dos o tres personas que hicieran la misma inversión. Unas pocas personas en la cima lograban hacerse muy ricas a través de engaños como éste al estafar a quienes estaban por debajo de ellos en la cadena. Los esquemas piramidales se extendían por toda una comunidad, hasta que los últimos en unirse se encontraban sin nadie a quien reclutar.

Esta clase de fraudes ha dañado mucho a Amway porque por lo general se confunde a nuestra empresa con esquemas piramidales. Fuimos culpados por asociación. Es verdad que la estructura organizativa de Amway y de otras empresas de mercadotecnia multinivel puede describirse como piramidal, pero sucede lo mismo con la estructura de negocios tradicionales, del ejército y de organizaciones de caridad. Lo importante es que el Plan de Ventas de Amway carece de todas las características que distinguen a un esquema piramidal ilegal.

Por supuesto, el público no siempre hace la distinción. Los distintos escándalos estuvieron rodeados de tanta publicidad negativa que algunas personas decían que toda la venta directa debería declararse ilegal. Eliminando a la industria de la venta directa seguramente eliminaría a los esquemas piramidales, pero también destruiría las 2.500 ó más empresas de venta directa con buena reputación del país. Por lo tanto, lanzamos una campaña publicitaria para educar al público estadounidense sobre la esencia de los esquemas piramidales y cómo evitarlos. Amway publicó cientos de avisos en periódicos de todo el país y yo traté de explicar el problema en docenas de discursos que presenté frente a organizaciones de negocios y comunitarias a lo largo de la nación.

DESAFIADOS POR EL GOBIERNO

Educar al público estadounidense es una cosa. Educar a los burócratas federales es una tarea bastante diferente. No obstante, nos vimos obligados a tomar el desafío cuando en 1975 la Comisión Federal de Comercio (en inglés, FTC) presentó una queja oficial contra Amway. La FTC acusaba a Amway porque su Plan de Ventas era "un esquema para ubicar distribuidores en una pirámide por sobre un número de distribuidores siempre en aumento", que estaba "predestinado al fracaso" y que contenía un "intolerable potencial de engaño". Se nos acusó de fijar precios (es decir, que les sugeríamos a los distribuidores a qué precio vender los productos), de restringir las actividades de los distribuidores al evitar que vendieran los productos Amway en negocios minoristas y de representar de forma poco veraz las potenciales oportunidades de éxito. Las acusaciones de la FTC eran el primer ataque serio a Amway; amenazaban la existencia misma de nuestra corporación. A la larga ganamos, pero la agresión nos convenció de la importancia de mantener al gobierno federal al tanto de quiénes éramos y qué estábamos haciendo aquí en Ada, Michigan.

Las acusaciones de que fijábamos precios no eran del todo inusuales. Antes de que las leyes anti-monopólicas comenzaran a declarar ilegales esas cosas, algunas empresas exigían a los distribuidores independientes que cobraran cierto precio por sus productos. Esta práctica, llamada imposición de precios por el fabricante, aseguraba que la venta del producto estuviera acompañada por un nivel de servicio más alto al cliente, entre otras cosas.

En algún momento todas las compañías tuvieron que cambiar sus políticas sobre precios; por eso ahora vemos en los envases de productos la frase "precio sugerido al por menor". Una vez más, la naturaleza única de la organización Amway originó problemas con los reguladores quienes no estaban familiarizados con la forma de trabajo de Amway. La "restricción de comercio" que se suponía resultaba del modesto conjunto de reglas que imponíamos a nuestros distribuidores, tampoco era una acusación inusual.

La situación podría haberse solucionado en un encuentro de treinta minutos si hubiéramos tratado con personas que razonaran, pero los organismos de control no son conocidos por su sensatez ni su eficiencia. Por eso la FTC examinó manuales y más de cien listas de precios y trató de encontrar una o dos que pudieran interpretarse como "imposición de precios". Gran parte de la evidencia de la FTC incluía publicaciones y prácticas que habíamos dejado de lado mucho antes del juicio. La FTC se basaba en parte en un manual de Amway de 1963 que requería mantener los precios de venta. No obstante, argumentamos que Amway no usaba ese manual, al menos desde 1972, y que la práctica de imponer precios había cesado junto con el uso de ese manual.

Las audiencias en Washington fueron bastante interesantes. La FTC hizo mucho hincapié en las probabilidades de que cualquier distribuidor pudiera llegar a niveles altos con Amway, como si eso tuviera vital importancia. Por supuesto, actualmente publicamos esas cifras para que todos las vean y no parecen hacer mella en nuestra fuerza de distribución. Durante el testimonio de Rich en el estrado, le preguntaron si alguna vez había dicho que un distribuidor podía ganar 1.000 dólares por mes o que había distribuidores que ganaban 50.000 dólares al año (que en la década de los 70 era mucho dinero).

"Sí, yo dije eso", afirmó Rich.

"Bueno, lo tenemos grabado", replicó el hombre de la FTC.

"Eso no es ningún secreto", contestó Rich. "Nosotros proporcionamos esa cinta. No voy a discutir ese punto. ¿Cuál es el problema?".

"Mucha gente nunca gana esa cifra, usted lo sabe", dijo la FTC.

"Comprendo", dijo Rich "nunca se los prometí".

"Bueno, mostremos a algunas de las personas que fueron dañadas por esto" dijo la FTC. Y procedieron a hacer desfilar a un grupo de gente frente a la corte. Varios de ellos se quejaron de que nuestra presentación de la oportunidad Amway los había engañado. Un hombre dijo: "Entré a Amway y trabajé durante algunos meses pero no pude lograr que nadie viniera a una reunión ni vendí ningún producto". Entonces nuestro abogado habló un poco con él y descubrió que no, nunca había salido a vender a algún cliente los productos; no, no había puesto mucho esfuerzo en lograr que la gente fuera a sus reuniones; y no, no había aprovechado la capacitación que le podían brindar sus auspiciadores.

En varios casos presentados descubrimos que, aunque el

individuo había abandonado su negocio Amway, la experiencia le había dado grandes beneficios. Le preguntamos: "¿Qué hacía antes de iniciar su negocio Amway?".

"Manejaba una grúa en un almacén", respondió.

"¿Y ahora qué hace?", replicamos.

"Bueno, vendo seguros y me está yendo muy bien".

"¿Cómo hizo para pasar de ser operador de grúa a ser vendedor de seguros?", dijimos presionándolo.

"Ah, todo lo que aprendí en Amway lo apliqué en mi nuevo trabajo".

"Gracias señor. ¡Siguiente testigo!", dijimos.

Pudimos mostrarle a la corte que incluso esas personas que habían abandonado Amway descontentas habían aprendido tanto que habían escalado a mejores trabajos y tenían mucho más éxito que antes de Amway.

REIVINDICADOS

Luego de cuatro años de procedimientos legales, decenas de miles de documentos, cientos de entrevistas y un costo superior a los 4 millones de dólares, la FTC falló a favor del Plan de Ventas de Amway. Robert Pitofsky, miembro de la comisión, al pronunciar la opinión unánime, escribió: "Hemos determinado que el Plan de Ventas de Amway no es un «esquema piramidal ilegal»; que las reglas, no relacionadas con los precios, que Amway ha impuesto a los distribuidores de sus productos para controlar la manera en que el producto fluye a los consumidores, no constituyen restricción de comercio o métodos injustos de competencia; y que, a excepción de ciertos reclamos de ganancias, los demandados (Amway) no han hecho afirmaciones falsas, engañosas o falaces sobre el negocio Amway o las oportunidades que le brinda a quien pasa a formar parte de él".

Nos exigieron que cambiáramos nuestras prácticas de fijación de precios y que alteráramos la manera de presentar las ganancias a los prospectos. Por supuesto que estábamos dispuestos a guiarnos por el dictamen de la FTC, pero lo sentí personalmente como otro ataque al sistema de la libre empresa. La libertad de hacer contratos es una parte fundamental del libre mercado. Sin ella, está seriamente obstruida la capacidad de cualquier negocio para lograr que sus clientes, empleados y dueños estén en una mejor situación. Los Estados Unidos se fundaron sobre la idea de que dos personas deben tener la posibilidad de firmar un contrato de cualquier tipo y cumplirlo sin interferencia del gobierno. Entonces, si para ser distribuidor o tener una franquicia o algo parecido, una condición es vender productos a cierto precio, nadie resulta defraudado, engañado o robado y debería permitirse que el contrato se mantenga. El vicedirector de información del FTC, Ira Furman, no lo veía de esa manera. Preguntó: "¿Estamos reprimiendo a la libre empresa al detener la determinación de precios?".

"Estamos permitiendo que el sistema de libre empresa funcione. Somos casi una agencia desreguladora: desregulamos los efectos de los negocios que regulan a otros negocios".

Esto sería gracioso de verdad si no fuera por el hecho de que esa "desregulación" da como resultado daños incalculables a la economía todos los años. Mientras que las empresas puedan seguir firmando contratos entre ellas libremente, sin fraudes ni pretextos, la "regulación" comercial, como la llama Furman, es muy distinta a la regulación del gobierno. Las relaciones comerciales o acuerdos a los que la FTC acusa son voluntarios. Es típico que gente libre sólo firme los contratos que cree son beneficiosos para ellos. La regulación gubernamental no es un contrato. Los burócratas hacen las reglas y los negocios tienen que cumplirlas. La regulación gubernamental no tiene nada de voluntario ni de beneficioso.

Si bien nos decepcionó la reglamentación sobre la determinación de precios, nos alivió que la FTC percibiera la legitimidad y la necesidad de nuestra regla que prohibe que los distribuidores vendan a negocios minoristas. La esencia de la organización Amway es la venta de persona a persona. La venta personalizada a amigos, parientes y vecinos puede brindar un mejor servicio que el que brinda un negocio minorista. Por lo tanto, la restricción era una regla de sentido común para garantizar que el cliente recibiera un excelente servicio.

Con respecto a los reclamos sobre ganancias, la sentencia que emitió la FTC debe entenderse en el contexto de su peculiar comprensión legal de la palabra "decepción". Al momento de la sentencia, Rich le dijo a la prensa: "Es significativo que la comisión no haya encontrado ni siquiera una instancia en la que algún posible distribuidor haya sido engañado con ejemplos de cómo funciona nuestro Plan de Ventas. En vez de eso, la comisión decidió basar su conclusión en un estándar legalista puramente teórico llamado capacidad de engañar. Eso es un tema bastante distinto. Lo que la comisión dice es que alguien, algún día, en algún lugar, puede ser engañado". En la actualidad, el ingreso mensual promedio de los distribuidores activos está indicado claramente en varios lugares del folleto que se entrega en cada presentación del Plan de Ventas.

COMO DETECTAR UN ESQUEMA PIRAMIDAL

No sería esta ni la primera ni la última vez que Amway fuera atacada presentándola como esquema piramidal. Pero esta acusación es absurda. Primero, los esquemas piramidales por lo general requieren un importante arancel de ingreso no reembolsable. El arancel del paquete de inicio de Amway es bajo y reembolsable. En la época de la investigación de la FTC, un paquete de ventas valía 15 dólares y un paquete de muestra de productos, 10 dólares. Además, si un distribuidor nuevo quiere irse de Amway, su auspiciante debe comprarle el inventario no usado.

Segundo, Amway prospera con la venta de productos de alta

calidad. Las pirámides se basan exclusivamente en reclutar gente para la organización, aunque a veces venden productos de baja calidad o inservibles para camuflar sus actividades. Aunque los distribuidores de Amway pueden multiplicar o aumentar su volumen de ventas a través del reclutamiento, nadie gana un centavo en Amway si no mueve productos para su uso o venta. Los distribuidores deben satisfacer a los clientes para que el Plan de Amway funcione. Los distribuidores no cobran por agregar gente a su organización.

Tercero, los verdaderos esquemas piramidales pueden "saturar" un mercado rápidamente, es decir que, luego de un período de crecimiento rápido, ya no queda nadie a quien reclutar y el sistema colapsa. Los alegatos de la FTC sobre saturación eran ridículos y revelaban una notoria falta de comprensión del funcionamiento del Plan de Ventas de Amway. Luego de quince años de operación, Amway tenía distribuidores nada más que en una cuarta parte del uno por ciento de los hogares. Amway no representa ningún riesgo de saturación del mercado; un concepto que finalmente la FTC comprendió. Actualmente, luego de casi cuarenta años de crecimiento, Amway todavía tiene mucho potencial. Cada distribuidor tiene libertad para establecer sucursales tanto en su propia comunidad como en todo el mundo, lo que brinda una enorme población dentro de la cual se puede trabajar.

Para evitar entrar engañado a un esquema piramidal ilegal, aconsejo a la gente que haga unas simples preguntas cuando alguien les presente una nueva propuesta comercial:

1) ¿Afirma el promotor que hay enormes rendimientos sobre la inversión inicial? No es inusual que se prometan ganancias del 1.000 por ciento anual, o más.

2) ¿Pretende el promotor un arancel de ingreso muy alto y no reembolsable?

3) ¿Vende el negocio un producto o servicio? El producto o servicio ¿es de buena calidad?

4) ¿Insiste el promotor en el secreto? o, ¿evita responder a preguntas legales?

5) ¿Es el negocio miembro de la DSA, Asociación de Venta Directa (Direct Selling Association)? Si es así, eso es bueno, porque la DSA ha luchado contra los esquemas piramidales ilegales educando al público y buscando castigo criminal para quienes promuevan esos esquemas. También tienen un código de ética y pautas para sus miembros.

La FTC nunca desafió el valor y la calidad de los productos Amway. Los esquemas piramidales generalmente no producen nada: su corta vida está marcada por transferencias de dinero de una persona a otra. Por el contrario, los negocios genuinos se preocupan por la satisfacción del cliente y fabrican productos de buena calidad. Sin embargo, la FTC destacó: "Los productos de Amway tienen una alta aceptación entre los consumidores. Un especialista en mercadotecnia [. . .] destacó que el detergente en polvo Amway, que tiene una muy pequeña participación en el mercado y nada de publicidad nacional, ocupa el tercer lugar en la clasificación de treinta y siete marcas en lo referente a lealtad a la marca. El jabón líquido para lavar platos de Amway lideró la clasificación de lealtad a la marca entre dieciséis marcas encuestadas".

Luego que los investigadores finalizaron su tarea en 1979, Amway seguía siendo fuerte: de hecho, el ejercicio fiscal de 1979 mostró ventas minoristas por 800 millones de dólares, 300 millones más que el año anterior. A largo plazo, la investigación de la FTC fue buena para nosotros. Además de enseñarnos a lidiar con el gobierno y con burócratas, nos dio una credibilidad renovada que podríamos usar más adelante. Si alguien cuestionaba la legitimidad del Plan de Amway, decíamos: "Mira, la FTC tenía las mismas preocupaciones. Nos investigaron con detalle y salimos bien parados. Incluso se nos toma como modelo de manera correcta de la manejar un negocio de venta directa".

Cuando ingresamos por primera vez a algunos países, muchos nunca habían visto un negocio de venta directa como el nuestro. Podíamos apaciguar sus temores contándoles nuestra experiencia con la FTC. Si no tenían legislación que les permitiera distinguir entre vendedores directos legítimos y operaciones piramidales inescrupulosas, los alentábamos a que usaran las leyes estadounidenses como modelo para sus propias reglas. A pesar de toda la publicidad negativa que surgió de la investigación de la FTC, si no hubiéramos superado esa exigente prueba, nos hubiera sido mucho más difícil expandirnos internacionalmente como lo hicimos.

En 1982, sobrevino otro juicio a manos del Departamento de Justicia de Wisconsin. De cierta manera, éste era un ataque menos serio porque no amenazaba la existencia de Amway. Sin embargo, la publicidad que surgió de este tema no nos hizo ningún servicio.

Las publicaciones de Amway que se le entregaban a los posibles distribuidores incluían algunos ejemplos hipotéticos de los tipos de ingresos probables en el negocio independiente Amway. El estado de Wisconsin insistía en que las afirmaciones de Amway eran inadecuadas y entabló una demanda contra Amway y contra cuatro distribuidores de Wisconsin. Nosotros sostuvimos que nuestras cifras deberían quedar tal como nosotros las expusimos.

Al igual que en todas las otras formas legítimas de empleo por cuenta propia, en Amway el ingreso depende del esfuerzo puesto por la persona en desarrollar ese negocio, sumado al tiempo empleado en esa tarea. Algunas personas ingresan a Amway para tener una ocupación a tiempo parcial nada más; algo que les aporte un poco más de dinero todos los meses. Otras personas buscaron aprovechar la oportunidad Amway al máximo y decidieron trabajar a tiempo completo. Además, los distribuidores, en las primeras etapas de construcción del negocio, no pueden pretender ganar lo que ganan los distribuidores más experimentados de su línea ascendente. Y así también hay distribuidores como el que trató de iniciar su negocio Amway comprando equipamiento audiovisual valorado en varios miles de dólares, con el cual causaría impresión en sus reuniones de venta (quizás pensó que si gastaba bastante, no tendría que trabajar). Todos estos factores hacen que la organización de distribución promedio no esté generando el ingreso que es posible en Amway. Sin embargo, nuestra literatura sobre ventas presentaba en ejemplos hipotéticos lo que podría ganar una persona esforzada luego de varios años de estar en el negocio.

TRIUNFAR A LO GRANDE EN AMWAY

Alguna gente no logra darse cuenta de que Amway no es, ni nunca fue, un esquema para hacerse rico rápidamente. Algunos distribuidores de Amway se han hecho muy ricos en un breve período de tiempo. No obstante, no siempre sucede así. La mayoría de la gente que quiere que el negocio crezca hasta su máximo potencial, deberá hacer lo mismo que hicimos Rich y yo al principio: trabajar muchas horas sin rendirse con facilidad. A través de nuestras experiencias con los medios de comunicación, nos dimos cuenta que ese punto tendría que ser tan claro como el agua para la gente. "El negocio Amway", un folleto que los distribuidores entregan en cada presentación del Plan de Ventas de Amway, hoy en día, incluye información sobre el ingreso promedio mensual y sobre las bonificaciones de nuestros distribuidores.

Muchos de los encuentros y reuniones incluyen a distribuidores que han triunfado a lo grande; gente que está percibiendo ingresos de seis dígitos en Amway. Pero mirar solamente esas historias de éxito es perder de vista la verdadera historia de éxito: millones de personas en todo el mundo tienen una vida un poco mejor porque invirtieron algo de su tiempo libre en Amway todas las semanas. En Nueva York, la madre que necesita un poco de dinero adicional para poder enviar a sus hijos a una escuela parroquial y quiere trabajar desde su hogar. En Turquía, el padre de seis hijos que tiene una organización de distribución nada más para comprar comestibles para su familia numerosa. En Japón, el hombre de negocios que vende productos Amway para pagarse vacaciones en Hawai. Quizás sólo trabajan cinco horas por semana porque su objetivo es tener un poco de dinero adicional. Quizás trabajan diez horas para ayudar a que su hijo vaya a la universidad. La oportunidad está allí y cada distribuidor de Amway ha decidido hasta dónde va a llegar. Nosotros les dijimos: "Escuchen, éste es el asunto. Lo armamos de manera tal que ustedes pueden hacer con él lo que quieran. No nos cuenten sus problemas. No nos digan lo que no pueden hacer. ¡Simplemente aprovechen la oportunidad y muéstrennos qué pueden hacer con ella!".

No podemos hacer que el plan sea absolutamente infalible. Cualquier emprendimiento comercial implica algún riesgo aunque hemos trabajado para reducir ese riesgo a un mínimo absoluto. No podemos supervisar todo, mucho menos controlar, el comportamiento de millones de distribuidores para asegurarnos que unas pocas personas sin escrúpulos no estén representando mal el Plan de Amway o para evitar que la gente tome malas decisiones con respecto a sus negocios. Pero Rich y yo estamos convencidos de que nuestro plan funciona bien para la mayoría de la gente. Ha pasado la prueba del tiempo. Estamos dispuestos a defenderlo contra quienes no pueden tolerar que otros triunfen.

Sin embargo, estos desafíos tempranos a nuestras prácticas comerciales nos hicieron dar cuenta de la importancia de comprender y participar en el proceso político. Los funcionarios gubernamentales que no comprendían la mercadotecnia multinivel tenían el poder de acallarnos con un juicio o con nuevas reglamentaciones. En ningún otro lado se iba a demostrar tanto que eso era verdad como en lo que estaba a punto de suceder en Canadá.

CAPITULO 8

Impedidos en Canadá

El 12 de noviembre de 1982, la Real Policía Montada de Canadá allanó la sede central canadiense de Amway. En una declaración a la prensa que duró veinte minutos, un vocero del gobierno canadiense presentó cargos criminales contra Amway y aseguró que Amway había "defraudado" a *Revenue Canada* (organismo impositivo canadiense), en una suma no determinada que excedía los 28 millones de dólares. *Revenue Canada* entabló una demanda contra Amway en el mayor litigio por aranceles aduaneros en la historia de la institución, buscando 118 millones de dólares (estadounidenses) de aranceles retroactivos y multas. Además, Rich y yo, junto con dos de nuestros vicepresidentes, fuimos amenazados de extradición para enfrentar un juicio en una corte canadiense. Ese día llegó el punto culminante de la peor prueba que Amway tuvo que enfrentar y una pesadilla de notoriedad incomparable.

Al día siguiente de la conferencia de prensa canadiense dimos nuestra propia conferencia de prensa en Ada. Rich, yo y nuestros dos vicepresidentes acusados explicamos nuestra versión de la historia a la prensa. La mayoría de los problemas que enfrentábamos tenían su origen en 1965, cuando la relación entre Canadá y Estados Unidos era algo más amistosa que en 1982. Para entender lo que realmente sucedía en 1982, se necesita una explicación de las relaciones que nosotros habíamos tenido con Canadá.

La ley aduanera de Canadá fijaba aranceles a los artículos importados sobre la base de la valoración justa de mercado en el país de origen. La estructura organizativa única de Amway implicaba que el sistema debería adaptarse a nuestra situación. Por lo tanto, en 1965 nos sentamos con funcionarios aduaneros canadienses para desarrollar una reglamentación aduanera respecto de los productos Amway producidos en los Estados Unidos y exportados a Canadá. Amway iba a pagar el mismo arancel que: 1) pagaban aquellos competidores que vendían a negocios; 2) Amway hubiera pagado si hubiera traído productos de otros fabricantes; ó 3) Amway hubiera pagado si hubiera vendido los productos dentro de los Estados Unidos, a mercados que no pertenecieran a Amway. En agosto de 1965, los funcionarios aduaneros canadienses crearon esa reglamentación. Durante 15 años, entre 1965 y 1980, tanto el gobierno canadiense como Amway cumplieron con esta reglamentación justa y equitativa.

Durante este tiempo, los funcionarios aduaneros canadienses hacían auditorías frecuentes a los métodos de valoración que

Amway usaba para los productos que embarcaba hacia Amway Canadá. Cada vez que lo hacían, mostraban su satisfacción por los arreglos, que cumplían con el acuerdo de 1965. Entonces, a principios de 1980 la aduana canadiense cambió unilateralmente la reglamentación de 1965. Se le exigía a Amway que pagara cuatro veces el arancel que había pagado entre 1965 y 1980 por los mismos productos.

¿Por qué este cambio repentino?

Un ejecutivo que era empleado nuestro desde hacía menos de dos años tomó como algo personal desafiar la reglamentación de 1965 hecha por los funcionarios de la aduana canadiense. Aunque no había estado personalmente involucrado en las negociaciones de 1965 y no estaba informado de las bases de la reglamentación, incentivó a la firma auditora y a nuestro agente de aduana canadiense (ninguno de los cuales había estado presente en las discusiones de 1965) a que creyeran que se habían hecho declaraciones falsas y fraudulentas en las auditorías de 1965 y en los años subsiguientes. Incluso intentó convencernos a Rich y a mí que se había cometido un fraude. Esto nos inquietó, por supuesto, y rápidamente revisamos sus argumentos, para lo que confiamos en consulta legal interna y externa. Cuando decidimos no seguir su recomendación de pagar a *Revenue Canada* la suma que él decía que debíamos, renunció.

Sin embargo, había hecho su presentación ante el agente de aduana con habilidad y el agente al poco tiempo renunció como representante de Amway. Sin investigar a fondo los argumentos del ejecutivo, el agente aduanero envió una carta a *Revenue Canada* informando lo que él había dicho. De esa manera extraña, Amway se marcó la falta a sí misma, aunque no había cometido ninguna. Entonces, *Revenue Canada* emitió su reglamentación de 1980.

Por supuesto, a esta altura estábamos muy preocupados. La nueva reglamentación equivalía a prohibirnos enviar productos a Canadá. Pero, más grave aún era que la integridad de la compañía se había puesto en duda. Una vez más recurrimos a ayuda externa para determinar la exactitud de la situación.

Amway contrató a Vernon D. Acree, un hombre jubilado que había pertenecido a la comisión de aduanas, como consultor aduanero para revisar el acuerdo sobre aranceles. Acree determinó que no había hechos para apoyar una acusación de encubrimiento o fraude. En su informe, destacó que no había encontrado ninguna instancia en su revisión de memorandos o de las numerosas entrevistas y otras investigaciones en la que alguien de Amway hubiera defraudado al gobierno canadiense. Acree dijo: "Parece que los canadienses fueron un poco torpes para encarar la situación. No se puede presentar cargos contra alguien si antes no se examina la otra cara de la moneda. Nadie de Canadá estuvo en Ada para decir: «Aquí están los argumentos. ¿Qué respuesta tienen?»".

Torpes en serio. Fue tan severa la respuesta de *Revenue Canada* que comenzamos a sospechar que la animosidad que el Primer Ministro canadiense Pierre Trudeau tenía hacia los negocios, en particular hacia los estadounidenses, podía estar interfiriendo en esta situación. Quizás el gobierno izquierdista de Trudeau se sentía ofendido por nuestro conservadurismo. El periodista canadiense Bruce LaPlaunte observó que el dulce aroma del capitalismo exitoso podía haber sido apestoso para Trudeau y su Partido Liberal. LaPlaunte escribió: "Alguna gente de Amway es, y me animo a decirlo, MUY exitosa. ¿Adivinen qué sistema político-filosófico la mayoría de ellos (si no todos) abrazan? El capitalismo. ¿Cuál es la doctrina básica del capitalismo? Que con una pizca de libertad uno puede lograr casi todo lo que se proponga. ¿Y qué predica Amway? Que con un esfuerzo razonable, uno puede vivir muy bien siendo representante de Amway". Trudeau, un hombre al que Ed Feulner describió como "partidario del socialismo económico" que "se sobresalta cuando escucha historias de éxito del libre mercado", enfrentaba una dura batalla por la elección frente a Peter Pocklington, un hombre muy conservador. Poklington, un hombre de negocios de la zona de Calgary-Edmonton, era el favorito entre algunos de nuestros distribuidores canadienses. Fue invitado a algunas de las grandes convenciones de Amway, se hizo bastante popular y por un tiempo se creyó que Pocklington iba a derrotar a Trudeau. De repente comenzaron a suceder cosas extrañas. Los camiones de Amway eran detenidos en la frontera durante bastante tiempo. A los distribuidores les llegaban toda clase de auditorías. Otras empresas estadounidenses comenzaron a experimentar problemas similares. La guerra que los burócratas de Trudeau libraban contra los negocios estadounidenses puede haber sido un error, dado el número de canadienses que compran productos importados de Estados Unidos y ganan dinero con inversiones estadounidenses.

Amway recibe auditorías de todo el mundo y no ha tenido problemas significativos de importación salvo en Canadá. Exportamos a Japón productos valorizados en quinientos millones de dólares cada año. Allí nos hacen auditorías con regularidad y nunca hemos tenido un problema. Durante el tiempo que duró toda esta debacle canadiense estuvimos exportando a una variedad de otros mercados al mismo precio. El hecho de que hayamos seguido exportando con precios uniformes al resto del mundo indica que Canadá no estaba a tono con el protocolo del comercio mundial. Canadá usaba un método de valoración de importaciones único que no usaba ninguna otra nación, y tenía un conjunto de restricciones a la importación anticuado y sin sentido. Lo irónico es que Canadá cambió su protocolo luego de nuestro enfrentamiento con *Revenue Canada*. De acuerdo a las actuales reglamentaciones de comercio, el sistema para fijar los precios de las exportaciones ni siquiera hubiera sido cuestionado.

NO ESTABAMOS SOLOS

Amway no era el único objetivo de *Revenue Canada*. Algunas empresas canadienses habían sido atacadas por *Revenue Canada* durante años. La Organización Canadiense de Pequeñas Empresas (Canadian Organization of Small Business) se quejaba amargamente: "No importa cuán prolijas estén nuestras cuestiones impositivas, *Revenue Canada* siempre encuentra una manera de destruirnos".

Mientras puede decirse que *Revenue Canada* recaudó impuestos aduaneros más bajos de lo que habría alcanzado sin la reglamentación de 1965; Amway Canadá pagó, no obstante, más de 23 millones de dólares en concepto de aranceles aduaneros canadienses antes de que las reglas fueran cambiadas. Durante el mismo período, Amway pagó casi 5 millones más en tributos federales canadienses de impuestos a las ventas. Además, *Amway of Canada, Ltd.*, creció hasta ser una compañía que tenía ingresos anuales por más de 100 millones de dólares, que empleaba (directa o indirectamente) a miles de canadienses y que ofrecía servicios a más de cien mil organizaciones de distribución canadienses, lo que representaba quizás entre 150.000 y 200.000 personas. Amway Canadá pagó millones y millones de dólares de impuesto a las ganancias. Amway adquiría productos y servicios a empresas canadienses, lo que agregaba otro beneficio inconmensurable a la economía de ese país.

Más allá de los impuestos, *Revenue Canada* logró darnos un fuerte golpe financiero. La mala publicidad y la recesión contribuyeron a una significativa baja de las ventas en los Estados Unidos durante 1982. Nuestra expansión internacional realmente compensó y equilibró el déficit doméstico y nos permitió cerrar el año con un pequeño incremento en las ventas: de 1.400 millones en el año 1981 subimos a 1.500 millones. Sin embargo, en algunos meses perdimos dinero y las ganancias fueron casi nulas. Si Amway hubiera cotizado en Bolsa, el valor de nuestras

acciones se hubiera desplomado. *Revenue Canada* y el estado
de Wisconsin se cobraron sus víctimas: no hubo nada antes ni
después en la historia de Amway que le hiciera tanto daño.

A lo largo de todo el episodio de *Revenue Canada*, nuestros
distribuidores fueron leales a Amway y apoyaron a la empresa
tal como nosotros lo esperábamos. A nuestra sede central en
Ada llegaron cartas y llamados telefónicos de apoyo de distribuidores, amigos, proveedores y clientes. Una de esas fue un
telegrama de Vancouver, Columbia Británica, que decía nada
más: "Estamos con ustedes siempre". ¡Estaba firmado por 209
distribuidores! Amway le había brindado a millones de personas
una oportunidad de disfrutar independencia económica y éxito
a través de sus negocios Amway. Ahora esa gente agradecida nos
recompensaba con fenomenal lealtad.

Nuestros empleados también nos apoyaron. Uno de ellos,
que firmó "un fiel empleado de Amway", nos escribió a Rich y a
mí una carta alentadora al comienzo de 1983:

Sé que tienen que parecer muy positivos cuando están
frente a toda esa gente; también sé, y se nota, lo
desgastante que ha sido para ustedes toda esta situación
con Canadá y la disminución de las ventas en Estados
Unidos. Así como me doy cuenta de lo difícil que es para
ustedes ser positivos cuando la realidad parece tan rígida.
Ustedes se pasaron años y años diciendo a las personas
cuán grandiosas son y haciendo que la gente lo crea:
ahora llegó el momento de que ustedes realmente crean
en sí mismos. Todos, en cada faceta de la vida, cometemos
errores; seguramente Amway cometió algunos, pero no
fueron intencionales. Acá en la sede mundial siempre
intentamos hacer lo mejor: no siempre tuvimos éxito,
pero el esfuerzo fue verdadero, la intención fue buena y la
buena voluntad siempre prevalecerá. Este período de
transición es nada más que un período de prueba, si

desean, una prueba de nuestra fe, la de ustedes y la mía.
¡No dejen de tener fe! De eso se trata, ustedes lo saben.

Cuando pienso en el trabajo en equipo, en la falta de egoísmo y en la unidad que demostraron nuestros empleados y distribuidores, recuerdo una analogía del mundo animal. Cuando los gansos vuelan hacia el sur en la familiar formación en V, miren lo que los científicos descubrieron sobre porqué vuelan así.

Cuando un ave agita las alas crea una elevación para el ave que le sigue. Al volar en formación en V, toda la bandada aumenta al menos un 71% más su potencia de vuelo que si cada ave volara sola.

Moraleja: la gente que comparte una dirección común y sentido de comunidad pueden llegar más rápido y con mayor facilidad adonde quieren ir porque viajan apoyándose en la confianza mutua.

Cuando un ganso se cae de la formación, de repente siente el arrastre y la resistencia de intentar ir solo y vuelve rápido a la formación para aprovechar la fuerza ascendente del ave que está adelante. Cuando el ganso líder se cansa, vuelve a la bandada y otro ganso toma la delantera.

Moraleja: es sensato turnarse con la gente para hacer trabajos exigentes.

Finalmente, cuando un ganso se enferma o es herido de bala y cae de la formación, otro dos gansos salen con él y lo siguen para ofrecerle ayuda y protección. Se quedan con el ganso caído hasta que pueda volar o hasta que muera; recién entonces salen, solos o con otra formación, para alcanzar a su grupo.

Moraleja: si tenemos el sentido del ganso, ¡nos apoyaremos entre nosotros de esa manera! Todos necesitamos que nos recuerden las verdades básicas cuando vienen los problemas. Cuando *Revenue Canada* nos amenazó, Rich y yo tuvimos que acordarnos de apoyarnos y ayudarnos cuando se necesitara y alentar a los distribuidores y empleados a hacer lo mismo.

Amway no estaba sola en su defensa frente a *Revenue Canada*;

recibimos ayuda y aliento de varias figuras políticas destacadas. Γ congresales de Michigan, Guy VanderJagt y Harold Sawyer, hablaron en apoyo de Amway en la sala de la Cámara de Representantes. VanderJagt condenó las tácticas de *Revenue Canada*, diciendo: "No buscamos una guerra de comercio mundial, pero ya es suficiente. Amway no tiene intención de ser «víctima» del engaño del gobierno canadiense. Los aplaudo por plantarse en sus opiniones. Sin embargo, lo más triste de esta situación es el tiempo, el esfuerzo e indudablemente las inmensas sumas de dinero que ahora debe gastar Amway en su «campaña de la verdad» para probar su inocencia y demostrar lo absurdo de las acusaciones del gobierno canadiense".

A pesar del maravilloso apoyo que recibimos, a nuestra defensa no le estaba yendo bien. Un equipo legal cada vez más desorganizado dificultaba nuestros esfuerzos por defendernos. A finales de 1982 teníamos diez oficinas de abogados trabajando en el caso además de un coordinador legal externo. Ninguno de los abogados nos daba una respuesta correcta y nos estaban costando una fortuna. Tenía que venir alguien de afuera para solucionar el problema. Por lo tanto, en diciembre de 1982 llamé a mi viejo amigo Bill Nicholson, que había sido asesor del Presidente Ford en la Casa Blanca. Había seguido la situación a través de periódicos y revistas y estaba dispuesto a venir a ayudarnos a modo de favor.

Bill llegó en enero y rápidamente descubrió que nuestro coordinador legal estaba en el centro del problema. Había obligado a las diez oficinas a que todo debía ser aprobado por él, de manera que nadie conocía el cuadro de situación completo y había hecho otras cosas que complicaron todo muchísimo.

Para confundir aún más las cosas, la pelea con el gobierno canadiense era en dos niveles. Como la causa civil que *Revenue Canada* tenía contra nosotros no permitía la extradición, los canadienses tenían que entablar contra nosotros un litigio criminal desde el nivel provincial para amenazarnos con la extradición y presionarnos de verdad.

Al principio de julio de 1983, Bill se encontró con el fiscal general de Canadá y logró un importante adelanto en el caso provincial. Como resultado, la acusación criminal contra Rich y contra mí fue retirada luego que Amway pagara una multa de 21 millones de dólares estadounidenses a la provincia de Ontario en octubre. Inicialmente no queríamos pagar la multa, que era cuantiosa. No obstante, sentíamos que para dejar el tema de lado y seguir con nuestras vidas, lo mejor era pagar. Los titulares nos lastimaban y, mientras más tiempo pasara el caso en la corte, más titulares veríamos. Si hubiéramos peleado durante el tiempo suficiente, ¡hubiéramos perdido al ganar!

RESOLUCION DEL ASUNTO

En setiembre de 1989, luego de seis años más de disputas legales y de asumir una postura en el caso civil, decidimos que sería mejor negociar un acuerdo con *Revenue Canada*. Una vez más, esto me parecía desagradable, pero la alternativa eran otros ocho a diez años más de arrastrar el caso por los tribunales. Creo que las autoridades canadienses se dieron cuenta de que estábamos listos para abandonar nuestros activos en ese país si no podíamos llegar a un acuerdo sobre el tema. En 1989 teníamos sólo dos instalaciones en Canadá, que valían menos del 10% del monto que *Revenue Canada* había estado buscando.

El acuerdo de 38 millones de dólares no iba a dañar a Amway; terminamos el ejercicio fiscal de 1989 con ventas por 1.900 millones de dólares y estábamos en una situación financiera muy fuerte. Y, en un sentido, abandonar nuestros activos canadienses hubiera sido menos costoso. Sin embargo, más de cien mil distribuidores canadienses y cientos de empleados dependían de Amway. Cortar lazos con Canadá y dejarlos sin apoyo o desempleados los hubiera dañado y hubiera sentado un precedente acerca de las forma de Amway de tratar con sus distribuidores, empleados y clientes, algo que no queríamos hacer.

Mientras duró el tema de *Revenue Canada*, incorporamos al General Alexander Haig a Amway como consultor de asuntos internacionales. Conocí a Al en una reunión de junta de la Fundación Legado (Heritage Foundation) a fines de los años 70 y pronto se hizo gran amigo mío. Cuando *Revenue Canada* comenzó a perseguirnos, sabíamos que necesitábamos ayuda. Al había abierto su propia consultora cuando dejó la función gubernamental y su experiencia en situaciones internacionales delicadas era invalorable. No queríamos que en ese momento la prensa se enterara de que estaba trabajando como consultor para nosotros: Al era una figura de perfil alto y no queríamos la atención que podría atraer al estar involucrado. Por supuesto, hacía un tiempo que Al daba discursos en nuestras convenciones pero, si la gente descubría que hacía más que eso, se hubieran generado algunos comentarios. Por eso lo teníamos que hacer entrar y salir rápido y en secreto de Grand Rapids y mantenerlo alejado de la vista del público. En la mayoría de sus visitas, Al se quedaba en la casa de huéspedes de Rich.

El estado de ánimo había decaído un poco en el extranjero durante nuestra preocupación por *Revenue Canada*, por eso alistamos a Al para que fuera en representación nuestra a Gran Bretaña, Francia y Alemania para encontrarse con distribuidores, hacer evaluaciones y en general hacerles ver que no nos habíamos olvidado de ellos. Al es muy respetado en Europa y su presencia tuvo un efecto poderoso sobre el progreso de Amway allá. Tanto en el país como internacionalmente, las ventas comenzaron a crecer de nuevo.

Definitivamente, Al tenía experiencia en manejar situaciones difíciles, dado que tenía un talento incomparable para el liderazgo. Como jefe de gabinete del Presidente Nixon, Alexander Haig fue virtualmente el presidente del país durante los últimos días antes de la renuncia de Nixon. Tenía un buen manejo de lo que debía hacerse y la capacidad de hacer que se llevara a cabo.

Al había desarrollado una estrecha relación de trabajo con el

Primer Ministro Trudeau mientras trabajaba con el presidente Nixon. Aunque Al no opinaba igual que Trudeau en temas políticos, era experto en mantener la paz entre los dos gobiernos. Richard Nixon no se preocupaba mucho por Trudeau, por lo tanto Al tenía que ser el intermediario para muchos asuntos oficiales de estado. Sus contactos personales y su capacidad para comunicarse efectivamente con el gobierno canadiense nos ayudó inmensamente.

Bajo el estrés y la presión de las acusaciones canadienses y la publicidad negativa que generaban, nos hubiera sido fácil a Rich y a mí culparnos mutuamente por los problemas de Amway durante la crisis canadiense. En lugar de estar espalda con espalda, repeliendo los ataques, nos podríamos haber enfrentado uno al otro. Para evitar la tensión entre nosotros, nos alimentamos de nuestros cuarenta años de amistad y nuestros viejos hábitos de resolver las cosas pacíficamente. Si hubiéramos recurrido a denigrarnos mutuamente, hubiéramos destruido todo lo que construimos en todos los años que estuvimos juntos. Rich es un socio increíble y yo no hubiera superado la crisis de Canadá sin su aliento, sabiduría y apoyo. Así como Rich y yo dependíamos mutuamente para todo, la supervivencia de Amway durante esa época dependió de la fortaleza de nuestra amistad. Nuestros agresores hubieran ganado si hubiesen logrado separarnos.

La crisis de *Revenue Canada* casi interrumpió el rumbo de Amway como empresa. Luego de años de batallas legales, corríamos peligro de perder nuestro foco en el negocio, de olvidarnos por qué habíamos iniciado Amway. Se había desarrollado una clase de arteriosclerosis, un endurecimiento de las arterias, en la estructura corporativa. La mayoría de las empresas atraviesan este proceso luego que han madurado y, si no logran superar este problema, empresas competidoras más jóvenes y vibrantes están listas para ocupar su lugar en el mercado.

CAMBIOS EN LA CIMA

La crisis de *Revenue Canada* también nos mostró que necesitábamos reemplazar a nuestro coordinador legal externo y quizás a algunos otros ejecutivos de alto nivel. Teníamos varios ejecutivos de alto nivel que parecían estar olvidando el gran cuadro. Su eficiencia no era lo que podría haber sido, ni tampoco lo eran nuestros márgenes de ganancia. Mientras ellos organizaban reuniones eternas, Rich y yo veíamos que los números de crecimiento de Amway disminuían cada vez más. Toda la situación era verdaderamente inquietante pero ni Rich ni yo éramos tan duros como para hacer todos los cambios por nosotros mismos. Una vez más, recurrimos a nuestro amigo Bill Nicholson. Le preguntamos si podía venir y hacer cirugía en Amway. Bill contestó: "Está bien. Trataré de encontrar el sentido de todo y me quedaré algunos meses. Esto es lo que quiero hacer: La semana que viene, cuando vuelva de Alemania voy a pasar por allí. Llegaré el jueves a la noche. El viernes voy a despedir al coordinador legal externo y luego me iré a Houston el fin de semana. Necesito ir a buscar ropa de invierno. Estaré de vuelta el lunes a la mañana listo para empezar temprano".

Entonces, ese lunes 5 de marzo de 1984 desplegamos toda la estructura de Amway en una gran hoja de papel madera y comenzamos. Los meses siguientes marcaron un repunte. Aunque fue muy duro hacer los cambios necesarios, realmente tuvo recompensa. Nuestra tasa de crecimiento se recuperó y no mostró signos de disminución. En vez de estancarse como una empresa de "mediana edad" —veinticinco años, Amway comenzó una segunda etapa de crecimiento y desarrollo.

EL PROBLEMA DEL PROTECCIONISMO

Los conflictos que tuvimos con *Revenue Canada* me ilustraron con mucha claridad los problemas que resultan de las restricciones al libre comercio. A pesar de las dificultades que Amway y otras empresas tuvieron al comerciar en el exterior, creo firmemente que el libre comercio exterior es vital para promover una buena calidad de vida y paz mundial. La historia muestra que el mundo es más pacífico cuando hay libre comercio que cuando se lo restringe. Las guerras comerciales tienden a intensificarse y llegan a ser conflictos armados. Algunas personas creen que la Segunda Guerra Mundial fue causada en parte por los aranceles Smoot-Hawley extremadamente altos de los años de la depresión. Eso puede ser cierto o no, pero está claro que los costos del proteccionismo superan a los beneficios. Por eso, en mi primer discurso para la Cámara de Comercio de los Estados Unidos, propicié un tratado de libre comercio para América del Norte, que después se transformó en el NAFTA.

Los pedidos de restricciones comerciales para proteger una u otra industria de la competencia extranjera están mal orientados. La industria protegida puede beneficiarse por un tiempo, pero en el largo plazo se hará incompetente y no podrá vender sus productos en el exterior. Además, los clientes locales pagan precios más altos por esos productos.

Amway se ha beneficiado muchísimo con los mercados internacionales, al igual que otras miles de empresas. En un sistema de comercio más libre, Amway y otras compañías internacionales seguirán floreciendo. Mientras que las barreras artificiales al comercio permiten que las empresas sean colosos despreocupados por su aspecto, el libre mercado promueve la eficacia de las empresas domésticas y el bienestar de los consumidores.

Sin embargo, la libertad no existe sin sus problemas, tal como lo aprendí en mis luchas con la prensa libre de nuestro país. Aunque apoyo el concepto de libertad de prensa, la manera en que algunos medios de comunicación lo interpretan, hizo mi vida miserable por un tiempo.

Expuestos al público

Junto con la disputa con *Revenue Canada* vino un año entero de problemas publicitarios para Amway. Periódicos y programas de televisión, la mayoría de orientación decididamente liberal, usaron nuestros problemas con las autoridades impositivas canadienses como trampolín para todo tipo de críticas injustificadas.

Una lluvia de ataques graves cayó en forma de una serie de artículos en el periódico *Detroit Free Press* en otoño de 1982.

El periódico de tendencia izquierdista inició una guerra con nosotros mediante el titular del mes de agosto "La conspiración de Amway para defraudar a Canadá por varios millones" y una historia sobre "el esquema Amway". En octubre, otra serie de artículos intentaron estigmatizar a Amway como un esquema piramidal de culto. Se sacó de contexto el comportamiento de algunos distribuidores y se los puso en ridículo. Se seleccionaron personas que habían abandonado Amway y que tuvieran problemas familiares o financieros y se le echó la culpa a Amway. No importaba que la FTC hubiera dictaminado que Amway no era un esquema piramidal ilegal. No importaban las miles de personas comunes que lograron unidad familiar y disfrutaban del éxito a través de Amway. Esas historias no llegan a vender tantos periódicos como las que destruyen negocios prósperos.

En cualquier organización grande como la de Amway, hay personas que tienen experiencias negativas y se van con una mala impresión de toda la estructura. Aunque podemos trabajar para reducir esos acontecimientos, no se pueden eliminar por completo. Y ciertamente existen esos distribuidores, incluso a altos niveles, que dicen y hacen cosas inadecuadas. Como tenemos millones de distribuidores en todo el mundo, es difícil mantener a todos alineados. Debido a la estructura de la organización de Amway, la influencia que ejercen los líderes corporativos sobre los distribuidores debe ser predominantemente indirecta. Los distribuidores Amway no son empleados. Son dueños de negocios independientes que están unidos entre ellos por productos en común, un sistema de bonificaciones y fervor por la libre empresa.

Era muy claro que las diferencias ideológicas estaban afectando a la prensa escrita. Un artículo de tapa anterior del *Detroit Free Press* del 15 de junio de 1980 me describía como "el reconocido mago financiero de Amway"; "de los dos, es el serio, el hombre enojado con mente de computadora y que da discursos alarmantes sobre las fuerzas destructivas de un «gobierno central entrometido»". No me había dado cuenta que era un ser tan malévolo. Debo admitir que mis discursos podrían parecer alarmistas, pero solamente para alguien que piensa que el gobierno es demasiado pequeño, demasiado débil y demasiado discreto.

Obviamente, a nuestra empresa se la atacaba porque éramos un ejemplo muy notorio de lo que puede hacer la libre empresa si se le permite trabajar. Los artículos del *Free Press* parecían tácticas políticas calumniosas. Rich y yo tomamos la ofensiva. Vaciamos una vieja sala de sesiones y comenzamos a usarla como centro de manejo de la crisis. Estaba equipada con teléfonos y máquinas de fax; apodada "Sala de Guerra", tenía personal las veinticuatro horas ya que buscábamos replicar a la crisis incitada por el tema de *Revenue Canada*. Lanzamos una "campaña de la verdad", en un esfuerzo por contrarrestar las múltiples acusaciones que se nos formulaban. Desde el jardín de mi casa de verano, escribía los avisos a página entera que publicábamos en periódicos de Estados Unidos y Canadá para que la verdad saliera a la luz.

Los años 1982 a 1985 fueron momentos difíciles para mí. Sentía la necesidad de controlar la situación, pero parecía que los medios de comunicación eran los que tenían el control. Había un sentimiento muy adverso entre nosotros y la prensa al principio, durante las primeras crisis publicitarias. Al principio, Rich y yo nos sentíamos irritados, luego frustrados por el poder que los periódicos y la televisión tienen sobre el público estadounidense. Los periódicos y la televisión tenían la capacidad de definirnos frente al público; de presentar una imagen falsa de lo que hacíamos en Amway. *Revenue Canada* les dio a los editores de periódicos y a los productores de televisión que se oponen a la libre empresa una oportunidad para que expresaran claramente sus ideas al tiempo que destruían a dos hombres con opiniones distintas a las de ellos. A veces, nos sentíamos completamente indefensos. ¿Qué hace uno cuando la prensa publica un artículo tan alejado de la verdad? ¿Cómo corregir las percepciones públicas negativas que se generan por una serie de artículos malintencionados? Podía escribir una carta de lectores, que podían publicar o no siete días después, en un lugar mucho menos destacado del que tuvo la historia cuando apareció. Los intentos que hicimos de corregir la historia a través de respuestas publicitarias fueron caros y no llegaron a ser tan eficaces como hubieran sido un par de artículos de tapa en un periódico importante. Tenemos una definitiva desventaja cuando no tenemos el acceso que tienen los medios de comunicación a los ojos y a los oídos de la gente. Las firmas de *Mercadeo en Redes* (MLM) como Amway también sufren los prejuicios que tienen los medios de comunicación sobre ellas, por el simple motivo de que las empresas de *Distribución en Redes* (MLM) rara vez hacen publicidad en los principales medios. Mientras que los periódicos y otros medios de comunicación corren el riesgo de perder miles de millones de dólares en concepto de publicidad si persiguen a empresas tradicionales con informes sensacionalistas, tienen mucho menos que perder si tienen como objetivo a empresas como Amway.

Nuestra "campaña de la verdad" vio su éxito necesariamente limitado por el simple hecho de que la publicidad no puede competir con las noticias de tapa. Una de las pocas opciones que nos quedaban era iniciarle juicio al *Detroit Free Press*. Esta estrategia era riesgosa porque el periódico podía hacer que el juicio nos jugara en contra, presentándolo como una actitud desquiciada e infundada. Podían decir "¿Es que acaso no creen en la libertad de prensa?". Por supuesto que creemos, pero cuando esa libertad se usa para causar daños inconmensurables e injustificados a la reputación de personas y empresas, creemos que un juicio es un recurso legal apropiado. Por eso amenazamos al *Detroit Free Press* con un litigio de 500 millones de dólares (que más tarde desestimamos porque podría haber afectado la investigación legal de *Revenue Canada* que estaba en curso) e incluso Rich ordenó que se sacara al *Detroit Free Press* del Amway

Grand Plaza Hotel. Los problemas que enfrentamos en esos años nos alertaron sobre la importancia de los medios de comunicación y su capacidad para influir en la opinión pública. En beneficio de la libertad, necesitamos preservar la libertad de prensa, pero la prensa debería comprometerse a usar su poder con responsabilidad. En lugar de ser sensacionalistas y publicar artículos típicos de tabloides, los medios necesitan informar lo que de veras es noticia, diciendo la verdad. Si los periodistas y editores demuestran honestidad y moderación, los estadounidenses seguirán confiando en los medios de comunicación.

60 MINUTOS EQUILIBRADOS

El 9 de enero de 1983 enfrentamos la posibilidad de tener todavía más problemas de publicidad. Era el domingo a la noche en que el programa de televisión *60 Minutos* (*60 Minutes*) iba a poner en el aire "Jabón y esperanza" ("Soap and Hope"), un segmento dedicado a Amway. No sabíamos qué expectativas tener, pero nos puso bastante contentos cómo resultaron las cosas. La descripción que hicieron de Amway fue justa y equilibrada. Nos pusimos a cooperar desde el principio y pensamos que, de cierta manera, eso nos ayudó.

Mike Wallace nos entrevistó a Rich y a mí, y a varios ex-distribuidores de Amway descontentos. Sin embargo, éramos cautelosos sobre las tácticas de entrevista de Mike, y nos aseguramos de estar bien preparados para sus visitas. Le pedimos a Walter Pfister, ex-vicepresidente de la cadena televisiva ABC, que nos entrenara para una situación de entrevista. Wally dijo: "Si la gente de Amway no habla por sí misma, otros lo van a hacer por ellos... Mi percepción es que si la compañía no tiene nada que ocultar... y tiene voceros capaces de hablar, ¡Háganlo!". Entrevistadores hábiles sorprenden desprevenidos a muchos ejecutivos, y su torpeza y repuestas defensivas pueden causarle una mala impresión a los espectadores. Por eso Wally y su Taller de Televisión Ejecutiva (Executive Television Workshop) de Nueva York se aseguraron que estuviéramos listos. No obstante, como éramos conscientes del posible resultado negativo, nos aseguramos que una cámara de Amway también filmara la entrevista. Si los editores de CBS tergiversaban las cosas, estábamos seguros que lo sabríamos. Otra cámara le seguía los pasos al equipo de *60 Minutos* en su recorrida por nuestras instalaciones de Ada, filmando lo que la gente de CBS filmaba. No todo lo que mostró el segmento era positivo— de hecho, hubo suficientes cosas negativas como para perturbar a varios distribuidores.

Sin embargo, teniendo en cuenta la reputación de Mike Wallace, nos alegró haber salido tan bien parados. Solía decirse que "uno sabe que va a tener un mal día cuando llega a su oficina y se encuentra con Mike Wallace y un equipo de *60 Minutos* esperándolo". No obstante, luego de su visita les dijo a periodistas, conductores de programas de charlas y otros que sus "ideas erróneas preconcebidas" sobre Amway no eran verdaderas. Wallace le dijo a un periodista: "Descubrimos que los productos (Amway) son buenos y que no son una transacción piramidal". A Ted Koppel le dijo:

> Creo que un negocio se ayuda a sí mismo mucho más si es abierto, si aprovecha las oportunidades a menos que tenga algo que ocultar [. . .] Permítanme darles ejemplos. La corporación Amway percibió que tenía algo que ganar si presentaba su caso de la mejor manera. No pidieron las preguntas con anterioridad, ni pidieron privilegios especiales de edición. Actuaron de manera amigable, nos abrieron sus libros, nos abrieron sus fábricas. El resultado es que uno puede hablar con esta gente y quizás digan que no fue el programa que les hubiera gustado ver, pero fue justo, equilibrado, preciso y quizás les haga bien a largo plazo.

INDUCIDOS A LA FUERZA POR DONAHUE

Lamentablemente, no todos en los medios tienen la equidad de Mike Wallace. Eso lo aprendimos a golpes el 20 de abril de 1983, cuando Rich fue entrevistado en el programa televisivo el *Show de Phil Donahue (Phil Donahue Show)* (¿alguien se acuerda de él?). Lo que pensamos que sería una oportunidad de replicar a algunos de los informes negativos que la prensa había publicado en meses anteriores, se transformó en una pelea de todos contra Amway. Yo había decidido no aparecer en el programa de Donahue y había animado a Rich para que no fuera. Según mi parecer, la gente como Donahue no busca la verdad; busca algo con lo que entretener a la audiencia y, por lo general, el entretenimiento es a costa del invitado. Sentía que al participar nos exponíamos a tener publicidad perjudicial. Sin embargo, Rich creía que tenía que aparecer. Según su opinión, Donahue iba a hacer el programa con o sin nosotros y, al menos si uno de nosotros iba, podríamos defendernos.

Eramos consciente que el programa repasaría las quejas de algunos ex-distribuidores de Amway quienes sentían que la oportunidad Amway no se les había presentado correctamente. Rich había aceptado participar con la condición de que se le permitiera expresar nuestra postura en una entrevista a solas con Donahue de entre cinco y diez minutos, antes de enfrentar a la audiencia. Este era el formato habitual del programa y no nos imaginamos que fuera a haber problemas. Durante la entrevista, Rich iba a admitir abiertamente que había algunos distribuidores que habían violado nuestras reglas de conducta y luego explicar que teníamos una solución. Habíamos establecido un programa de diez puntos para corregir presentaciones falsas entre nuestros distribuidores: desde asesoramiento intensivo hasta la baja de la organización de distribución en algunos casos.

En lugar de cumplir con nuestro acuerdo, Donahue nos atacó

por nuestro punto débil. Luego de mostrar un fragmento de una de nuestras presentaciones en el programa *60 Minutos*, se salteó por completo la entrevista preliminar y fue directo hacia la audiencia. A Rich lo ubicaron en el medio del escenario, a su derecha había un grupo de distribuidores de Amway y a su izquierda un grupo de ex-distribuidores de Amway descontentos. Lo que podría haber sido una discusión inteligente rápidamente se transformó en un circo, ya que Donahue le permitió al grupo contrario a Amway que interrumpiera a Rich y que lo hiciera callar a gritos varias veces. Más tarde descubrimos que Donahue y sus productores habían entrenado al grupo contrario a Amway de antemano y los habían animado a que fueran "muy, muy agresivos". Muchas veces, Rich comenzaba una oración y era interrumpido con rudeza por algún ex-distribuidor que creía que Amway de alguna manera le había causado problemas familiares o malestar financiero. Esta gente citaba estadísticas que no podían o no querían sustentar y hacían raras acusaciones contra Rich y contra Amway totalmente sin fundamentos. Además, había cinco micrófonos abiertos al mismo tiempo: uno para Rich, uno para Donahue, y otros tres para el público del estudio y para los llamados. A pesar de todo esto, sacamos en conclusión que Amway había salido airosa nada más porque el grupo contrario a Amway se había comportado pésimo. A lo largo del programa, Rich y los distribuidores de Amway habían sido educados y tranquilos, mientras que el otro grupo había actuado de una manera totalmente incivilizada..

William Rusher, columnista del *National Review*, comentó que Donahue "debe haber tenido un mal día cuando Rich De Vos estuvo en su programa [. . .] Nunca vi que a un invitado se lo pisoteara con tanta rudeza en la televisión". Toda la penosa experiencia de una hora fue una verdadera prueba para la paciencia de Rich. En ningún momento tuvo oportunidad de responder en forma completa las acusaciones infundadas que le echaban en cara y Donahue se negó a manejar al grupo contrario a Amway para que se desarrollara una discusión justa. Rusher dijo:

De Vos estuvo sentado allí una hora con un micrófono en el cuello, tratando obstinadamente de comenzar una oración para responder a alguna pregunta que se le arrojaba, mientras que personas que se quejaban y juraban solemnemente que sus familias habían sido arruinadas por sus maquinaciones lo hacían callar a gritos. Finalmente, Donahue, en vez de insistir para que a De Vos se le diera una oportunidad de hablar, lo sacaba de su estado mirando hacia los parlantes superiores y preguntaba: "¿Quién llama?".

De Vos debe ser un hombre más calmo que yo, porque después de media hora de esa farsa yo me hubiera desconectado el micrófono, se lo hubiera entregado a Donahue, le hubiera dicho que con gusto aparecería en su programa otro día que tuviera tiempo para mí y me hubiera ido.

Algunas personas valientes llamaron para apoyar a Rich. Algunos decían que Amway había sustentado a sus familias en tiempos difíciles. Otros enfatizaron la necesidad del trabajo duro para triunfar, un concepto que muchos de los ex-distribuidores de Amway no habían logrado comprender. Un televidente que llamó dijo: "Yo trabajé diez años en una típica corporación estadounidense. En cada reunión semanal de la gerencia a la que iba decían: «Si trabajan mucho, van a triunfar». Cada negocio estadounidense le dice lo mismo a su gente nueva. Tengo la sensación de que a Amway se la acusa injustamente, porque en sus reuniones públicas dicen abiertamente «si trabajan mucho, van a triunfar»".

Mucha gente pensó que Rich estuvo muy bien en el programa, a pesar de las persecuciones del grupo contrario a Amway y la aceptación tácita de su comportamiento agresivo por parte de Donahue. Barbara Bush le envió luego a Rich una tarjeta que decía: "¡DeVos 10-Donahue 0!". Cariños, Barbara. La gente que comprende lo que estamos tratando de hacer con el concepto Amway no le presta mucha atención a críticas sin fundamentos.

LLAMADAS DE ATENCION

Todos estos acontecimientos a principios de la década de los 80 nos obligaron a replegarnos y a revisar detenidamente el negocio. En cierto sentido, eran llamadas de atención. Es fácil olvidarse cómo se nos ve desde la perspectiva del mundo; sin embargo, el tema de *Revenue Canada*, las críticas (por injustificadas o desautorizadas que fueran) de la prensa y otros problemas publicitarios, nos ayudaron a Rich y a mí a ver cómo era vista Amway por los demás. Como dijo Rich en 1982, "nos ayudó a ver nuestras verrugas". Siempre hay lugar para mejorar y reconocimos varias áreas de Amway que podían funcionar mejor.

Creo que la publicidad mediática negativa sacó a Amway de su encierro. Amway era grande y visible y ya no podíamos contar con que el perfil bajo nos salvara de la atención de los medios de comunicación. Como resultado, nos vimos obligados a hacernos más profesionales en el manejo de los temas y las relaciones públicas. *Revenue Canada* de verdad nos sorprendió con la guardia baja. No teníamos agencia de relaciones públicas en Canadá y no habíamos invertido mucho tiempo en decirle a la gente y al gobierno de Canadá quiénes éramos y qué estabamos haciendo por su país. Esto nos dañó mucho cuando los titulares comenzaron a atac· · a Amway con dureza. Al no tener conocimiento previo sobre Amway, bueno o malo, la gente aceptaba conforme los titulares tal como aparecían.

Rich y yo tomamos toda la publicidad negativa muy mal. A veces me pregunto cómo hicimos Rich y yo para superar esa etapa. Fue una época de estrés físico y mental que me agotó y casi mata a Rich. Creo que ninguno de los dos se había dado cuenta de lo estresante que era todo hasta que Rich se enfrentó a problemas cardíacos por primera vez en 1983. Mi carga se incrementó diez veces cuando a mi preocupación por el negocio se le agregó la inquietud por Rich. Rich recuperó rápido su salud al cuidado de hábiles cirujanos, pero analizamos mejor nuestra carga laboral luego de eso y delegamos más responsabilidades en otros. Nos vimos obligados a darnos cuenta que no podíamos pelear solos contra los medios de comunicación y contra las autoridades canadienses y al mismo tiempo manejar un negocio multimillonario. Muchos empresarios no tienen tanto apego personal a su trabajo y hubieran arrojado la toalla. Rehacer la imagen pública de una empresa en presencia de medios de comunicación abiertamente hostiles no es tarea fácil, y Rich y yo estábamos en un punto en el que podríamos haber vendido y jubilarnos. De hecho, mientras todavía nos estábamos recuperando de los golpes mediáticos, una importante empresa japonesa de comercio se nos acercó con una oferta por Amway. Rich y yo hubiéramos recibido mil millones de dólares cada uno, en efectivo. Bill Nicholson había estado en Nueva York hablando con esta empresa durante varias semanas, y finalmente se nos acercó un día para que tomáramos una decisión final. Analizamos la oferta uno o dos minutos y decidimos: "No Bill, queremos conservar todo". En los negocios, a veces es momento de guardar todo y seguir con otra cosa. Habíamos vendido *Wolverine Air Service* luego de tres años porque sentimos que el período de crecimiento rápido se acercaba a un fin definitivo y también porque queríamos conocer el mundo. Vendimos el negocio de importación y *Stone Mill Products* porque aparecieron mejores oportunidades. Dejamos *Grand Rapids Toy Company* simplemente porque no le iba bien. No es que nos aferramos a Amway nada más porque no queríamos vender el negocio que habíamos iniciado. Nuestra persistencia en Amway en tiempos buenos y malos era resultado de la fe en los conceptos básicos que la respaldan y fe en la gente que hacía funcionar esos conceptos. Conocíamos el potencial que tenía el Plan y sabíamos que nunca podríamos, de manera consciente, tomar nuestras cosas y volver a casa. Nuestra determinación tuvo un rápido retorno. Amway sufrió los golpes de la prensa luego de nuestros problemas con *Revenue Canada,* pero pasó poco tiempo antes de que Amway resurgiera con una oleada de crecimiento nuevo, en su mayoría proveniente del extranjero.

CAPITULO 10

El negocio como una luz resplandeciente

En 1965, el gobernador de Michigan George Romney lanzó la "Operación Europa", cuyo objetivo era incrementar las oportunidades comerciales de Michigan en el mercado europeo. Realmente no habíamos pensado en llevar Amway al plano internacional, pero durante la Operación Europa nos dimos cuenta que nuestra estrategia de venta de persona a persona podía aplicarse en todo el mundo. Por lo tanto, nos zambullimos de cabeza en la oportunidad y emprendimos varios viajes alrededor del mundo para encontrar nuevos mercados. Buscamos países con una clase media importante, con poder adquisitivo para nuestros productos. Los países además tenían que tener estabilidad política, sin impuestos altos. Contratamos a Austin Woods como gerente internacional junto a Casey Wondergem, que es actualmente nuestro oficial superior de asuntos públicos, y a Bob Hooker, y comenzamos nuestro operativo internacional en Australia y el Reino Unido.

La expansión internacional de Amway nos dio la oportunidad de expandir los principios del estilo estadounidense de generación de riqueza a otros países del mundo. El florecimiento de Amway y su transformación en una corporación multinacional nos pareció algo positivo para los Estados Unidos y para los países con los que hacíamos negocios. El comercio internacional le permite a cada país hacer lo que mejor hace y compartir los beneficios de esa especialidad con consumidores de todo el mundo. Benjamín Franklin escribió: "Ninguna nación se arruinó por el comercio", pero algunas naciones se arruinaron por no tener suficiente comercio.

Las empresas multinacionales actúan como embajadoras de la libertad económica en los países donde comercian. Cuando empresas estadounidenses comparten con consumidores de otros países algunos de los beneficios del capitalismo al estilo estadounidense, es inevitable que un aviso de libertad acompañe a los productos. La gente bajo regímenes autoritarios no puede evitar apreciar la libertad económica cuando ven la calidad de los bienes de consumo que provienen de las naciones libres.

Por supuesto, los líderes de regímenes represivos reconocen este hecho y evitan que las empresas multinacionales hagan negocios dentro de sus fronteras. Las empresas multinacionales que logran establecerse en un país estatista deben enfrentarse con burócratas corruptos, impuestos importantes e ilógicos, infraestructura escasa y reglamentaciones insensatas e irritantes.

Por eso, cuando buscamos países para expandirnos, primero buscamos los que aceptan la empresa privada. Pero el Plan de Amway ha tenido un éxito importante inclusive en países autoritarios. Actualmente, tenemos un gran éxito en la República Popular de China. A medida que Europa del Este y la ex Unión Soviética se abren al comercio exterior, también nos expandimos en esa dirección. Mi amigo Dick Lesher, que fue presidente de la Cámara de Comercio de los Estados Unidos, comentó: "Amway ha tenido impacto en todo el mundo predicando la libre empresa. Son la vanguardia: apenas se abre la puerta un poquito, entran. Mucha gente de esos países trabaja en Amway porque es la manera más rápida de cambiar su estándar de vida".

Una de las mayores barreras para triunfar en el comercio internacional es la brecha en la comunicación. Y no hay mejor vehículo en el mundo para superar esa brecha que la música y las artes. Rich y yo creemos firmemente en eso. Patrocinar las artes es ayudar a establecer un lenguaje universal de comprensión entre naciones. Por lo tanto, en febrero de 1982, cuando Amway tuvo la oportunidad de auspiciar una gira europea de la Orquesta Sinfónica Nacional de Washington, lo hicimos sin pensarlo dos veces. La gira cubría ocho países y dieciséis ciudades e incluía al increíblemente talentoso director ruso Mstislav Rostropovich. La gira de la Sinfónica en realidad era parte del Bicentenario holandés-estadounidense (Netherlands-American Bicentennial), del que les hablaré más adelante.

Yo quería patrocinar una exhibición de arte de jóvenes artistas estadounidenses contemporáneos, en el Museo Stedelijk de Amsterdam. Rich que, junto con su esposa Helen, ha sido un generoso patrocinador de la Sinfónica de Grand Rapids, sugirió que Amway patrocinara tanto arte como música. Eso hicimos y partimos hacia la gira europea, con un deseo de buen viaje de Nancy Reagan, junto con la orquesta y la exhibición.

VIOLONCHELISTA Y LUCHADOR POR LA LIBERTAD

Mstislav "Slava" Rostropovich es un ruso diminuto, casi pelado y entusiasta que se transformó en un querido amigo mío durante la gira de la Sinfónica Nacional. Sin embargo, me costó un poco acostumbrarme a algunas de sus costumbres rusas. Luego de dirigir vigorosamente durante toda la noche frente a esos acalorados auditorios europeos, siempre se acercaba a mí y me daba un enérgico y sudoroso abrazo de oso y un beso.

Las actuaciones fueron magníficas. Algunos no esperaban que el violonchelista más refinado dirigiera con tanta inspiración y habilidad, pero la orquesta y el maestro fueron aclamados con ovaciones de pie en todas las ciudades y no tocaban menos de dos bises en cada presentación. El concierto del Bicentenario holandés-estadounidense en el Concertgebouw fue extraordinario. La orquesta recibió cuatro ovaciones de pie, algo digno de destacar en los reservados holandeses, ¡que no son famosos por levantarse de sus asientos para aplaudir! En el espléndido Musikvereinsaal de Viena solo había espacio para estar de pie. Slava, que sostenía su batuta en la mano derecha como si fuera el arco de un violonchelo, y con la mano izquierda indicaba detalles, interpretó cada movimiento de cada sinfonía con exuberancia aguerrida. Los músicos se superaron a sí mismos y siguieron al maestro con cohesión y entusiasmo. Slava estuvo brillante e hizo justicia a toda la belleza y agitación de la gran música clásica.

Cuando la gira llegó a Londres, casi se había sobrepasado mi amor por la música clásica. A Slava le encantaba tocar los mismos dos bises, una polca de Strauss con arreglos de Shostakovich y "Promenade" de Gershwin; ninguno de los dos me gustaba mucho y los había escuchado al menos una docena de veces hasta ese momento. Le dije a Casey Wondergem, nuestro coordinador de patrocinamiento de Amway, una noche en Londres: "Si tengo que ir a un concierto más esta semana, me voy a mi

casa". Entre las actuaciones me mantenía bastante ocupado. Me
reunía con ejecutivos y distribuidores de Amway en Europa y
tenía una ajustada agenda de discursos. Por supuesto que la gira
fue maravillosa para las sucursales de Amway en Europa. Si los
negocios obtienen algún beneficio por auspiciar actividades
culturales, entonces mucho mejor. Auspiciar la Orquesta Sinfónica Nacional era de por sí buena publicidad, pero Slava era un
verdadero héroe popular en esa época y parecía que todos los
periodistas de los países que visitábamos querían entrevistarlo.
Por ese entonces, nuestra filial europea era nueva y estaba
creciendo rápido. Pudimos llevar a nuestros mejores distribuidores a los conciertos y a las fiestas posteriores. El orgullo de
los distribuidores es muy importante en Europa y queríamos
promoverlo todo lo que pudiéramos.

Luego de la gira, logramos convencer a Slava para que viniera
a Ada y diera un concierto privado de violonchelo para los
empleados de Amway. Entre tema y tema, Slava se explayaba en
la historia de su hermoso violonchelo, hecho artesanalmente
por Antonio Stradivari en 1711. A los empleados les encantó. La
música clásica no le gusta a todo el mundo, pero Slava creó tal
aprecio en su audiencia ese día que al final de su actuación todos
estaban de pie para aplaudir.

Antes de desertar de la Unión Soviética, Slava se fue de gira
con la Filarmónica de Moscú y enseñó en el famoso Conserva-
torio de Moscú. Su talento le podía hacer ganar premios, pero
debido a su apoyo abierto a los disidentes soviéticos y su amistad
con Aleksandr Solzhenitsyn cayó en desgracia frente a los funcionarios soviéticos de principios de la década de los 70. Se
cancelaron conciertos y giras al exterior, se interrumpieron las
grabaciones y se le prohibió a la prensa, la radio y la televisión
soviética que emitieran su trabajo. Slava y su esposa, la mundial-
mente famosa soprano Galina Vishnevskaya, escribieron una
carta honesta a Leonid Brezhnev, donde denunciaban este
tratamiento opresivo y pedían permiso para viajar al exterior

durante dos años. En 1978, luego de varios años en el exterior, al matrimonio Rostropovich se le quitó la ciudadanía por "actos dañinos al prestigio de la URSS". Cuando desertó, la Unión Soviética perdió un gran director, violonchelista y pianista. Su esposa desertó con él y privó a los soviéticos de otra virtuosa. La pasión de Slava por la libertad se demuestra en su manera de dirigir hoy. Un crítico francés escribió: "¡Qué paradoja que Slava tenga que exiliarse en el otro lado del mundo, a orillas del Potomac para poder glorificar al espíritu ruso en perfecta libertad!".

Luego de venir a los Estados Unidos, Rostropovich había compartido con elocuencia su opinión contra el totalitarismo. Había visto cómo podía destruir el talento mediante la eliminación de incentivos y mediante el mal manejo de la destacable potencia intelectual que la Unión Soviética tenía disponible. Cada vez que Slava y yo hablábamos de libertad, esto surgía en nuestra conversación. Solamente en una sociedad libre un talento artístico como el de Slava puede realizarse y enriquecer las vidas de cada persona. Una economía de libre empresa puede generar tal riqueza que la gente pueda pagar por el trabajo de actores, artistas, músicos y otros. La gente talentosa que no encuentre compradores para su trabajo en una economía libre encontrará personas con mentalidad filantrópica que patrocinen su tarea. El socialismo mantiene a todos (excepto a la elite política) en un nivel de vida tan bajo que no pueden afrontar el gasto de patrocinar a esos artistas. En una economía estatista, esto se usa como excusa para agregar a la población más impuestos para que el dinero pueda ser dedicado a las artes. Por supuesto, el gobierno no siempre ha mostrado ser un buen juez de lo que es arte "bueno" o "malo", y prefiere dilapidar el dinero en cualquiera que tenga un pincel, una cámara o una batuta de director. A veces, el dinero cae en manos de alguien con talento verdadero, en cuyo caso el artista corre el riesgo de transformarse en alguien sin inspiración que depende del estado. Muy a menudo parece caer en manos de gente que piensa que cualquier cosa caótica, blasfema, desagradable o violenta puede ser calificada como "arte".

Al auspiciar a la Orquesta Sinfónica Nacional, Amway cumplía su papel de embajadora de la libre empresa. Deseamos que todos los que se sentaron en un auditorio europeo para escuchar a la orquesta se hayan dado cuenta de dos cosas. Primero, de Slava Rostropovich, un ejemplo de un hombre que alguna vez fue oprimido por el estatismo y ahora liberado para usar su capacidad al máximo. Segundo, de cómo los fondos que hacen posible el sistema de libre empresa estadounidense trabajan para promover esos eventos culturales que hacen más llevadera la vida.

DIPLOMACIA ECONOMICA

El auspicio económico de eventos de carácter diplomático como la gira de la Orquesta Sinfónica Nacional además de promover buena voluntad hacia la compañía en mercados extranjeros, reduce la resistencia a las políticas de libre empresa en esos mercados. Es más, estos eventos pueden brindar un foro para reuniones internacionales entre líderes del gobierno y de negocios, lo que puede llevar al progreso en las relaciones pacíficas y acuerdos comerciales mutuamente beneficiosos. ¿Quién puede objetar eso, especialmente cuando está involucrada música genial?

En 1992, fui encargado general y embajador ante la Exposición de Génova, la Feria Mundial en Génova, Italia, en conmemoración del quinto centenario del viaje de Cristóbal Colón a América. En la primavera de 1989, Bruce Gelb de la Agencia de Información de los Estados Unidos se acercó a mí para trabajar a su lado en el proyecto. Conocía mi trabajo en el Bicentenario holandés-estadounidense y mi amistad con el embajador de los Estados Unidos en Italia, Peter Secchia. Por supuesto, siempre me interesó la historia y el destino de Colón; el Caribe siempre fue uno de mis lugares favoritos. Por eso, estuve de acuerdo en apoyar la exposición y ser encargado general. Como iba a estar en misión oficial en el extranjero durante varios meses, también se me dio el rango personal de embajador. Se me otorgó el título "Su Excelencia", que probé con Betty, pero a ella no le pareció que me correspondiera (¡Quizás hubiera funcionado si hubiera estado de acuerdo en llamarla a ella "Su Señoría"!). Siempre había deseado ser embajador, pero nunca había podido asumir ese cargo. En 1988 el presidente Reagan me había tenido en cuenta para otorgarme una embajada en el Caribe (Estados Unidos mantiene una embajada en Barbados para todas las islas del Caribe). Con pesar, tuve que rechazarlo debido a mis limitaciones de tiempo. Luego que George Bush me nombrara encargado general en agosto de 1989, ¡juré dos veces! La primera vez fue una jura informal en el jardín de mi casa de verano en el Lago Michigan. Estábamos presentes Betty y yo, junto con Bruce y el Embajador Secchia. Esa ceremonia era nada más para que asumiera oficialmente y así poder firmar papeles y cosas por el estilo. La segunda "jura" fue simplemente una ceremonia formal celebrada principalmente para la prensa. La primera jura fue mucho más divertida. Peter me entregó un enorme martillo de juez, del que nos reímos mucho y especulamos sobre sus potenciales usos.

El proyecto Génova fue muy divertido para mí, pero a veces era muy agotador manejarme con la burocracia. Teníamos a John Gartland, de nuestra oficina en Washington, viviendo casi todo el tiempo en Italia y trabajando allí como sub-encargado general. Durante el Bicentenario holandés-estadounidense había demostrado que era la clase de hombre que podía acortar con rapidez los trámites burocráticos para que las cosas se hicieran, y repitió su actuación en la Exposición de Génova. Hasta nos mantuvo dentro del presupuesto, ¡una hazaña maravillosa para una Feria Internacional! Como era el principal auspiciante del Pabellón de los Estados Unidos, Amway tenía un papel importante en la Feria de ese año, y yo estaba muy orgulloso del trabajo que John y otros hicieron por ese proyecto.

REESCRIBIR LA HISTORIA

La mayoría de los proyectos, internacionales y demás, que Rich y yo hemos emprendido, tenían un considerable componente educacional. A veces yo mismo me educo con estos proyectos. Esto fue cierto en el proyecto de Génova, que me abrió los ojos a una masiva reescritura de la historia que está ocurriendo. Para mi consternación, en los libros modernos de historia se muestra a Colón como poco más que un violador del siglo XV. Algunos de estos escritores dejan entrever que cada mal que ha ocurrido en el Nuevo Mundo desde 1492 puede atribuirse a Colón. De hecho, Colón era más que nada un misionero benevolente. Los genoveses no estaban motivados simplemente por el deseo de abrir mejores rutas comerciales con Oriente, sino que además querían extender el Evangelio de Cristo hasta una parte del mundo que no había sido evangelizada. Además de ser un soberbio navegante, Colón era un cristiano serio. No era perfecto y quienes lo siguieron tampoco. Algunos cometieron graves delitos contra los nativos de este continente. Sin embargo, las ideas y la religión que trajeron iban a sacar a los nativos estadounidenses de la cueva espiritual, tecnológica y económica en la que estaban desde hacía milenios. Un amigo mío inventó la palabra "occidentifobia" para describir el miedo a las ideas occidentales que alentó el ataque a Colón. Es una manera bastante inteligente de decirlo. Los multiculturalistas enseñan en universidades y colegios que ninguna cultura puede ser considerada superior a otra. En realidad, la palabra "multiculturalismo" engaña. Si pensáramos en una palabra que significara "culturalismo de cualquier lugar menos de Occidente", quizás describiría a la filosofía con más exactitud. A pesar de la resistencia feroz de los occidentifóbicos, debemos usar algún patrón con el cual medir culturas varias. Sin ignorar ni rechazar las contribuciones positivas que distintos grupos de personas hacen al conocimiento humano y a la cultura, deberíamos criticar de manera objetiva, justa y sin prejuicios el comportamiento de todas las sociedades. Si insistimos con la completa igualdad de todas las culturas, entonces estamos obligados a aceptar con indiferencia los sacrificios humanos en masa de algunas tribus indias, las horrorosas masacres perpetradas por las hordas mongolas y los ataques, las violaciones y los pillajes de los saqueadores Vikingos.

Comprender que los humanos son intrínsecamente valiosos porque están hechos a imagen de Dios nos da los cimientos para los derechos humanos. Cuando pensamos que cada persona lleva la marca de la mano de Dios, deducimos que comportamientos sanguinarios o salvajes son intolerables. Comprender los orígenes del hombre también nos debería llevar a tener una actitud caritativa y compasiva hacia nuestros vecinos, sin fijarse en raza, sexo, nacionalidad o nivel social. Lamentablemente, no todas las culturas han tenido la misma visión.

VILLA TAVERNA

En 1990, Rich y yo y otros empresarios de Michigan formamos la llamada Sociedad Villa Taverna (Villa Taverna Society), una organización presidida por Rich que recolectaba fondos para restaurar Villa Taverna, la residencia del embajador estadounidense en Italia. A lo largo de los años, se había permitido el deterioro de la histórica residencia de Roma, y a Peter Secchia, como nuevo embajador, le avergonzaba recibir a sus huéspedes italianos en ese lugar. El edificio en sí era magnífico, pero le faltaban muchas reparaciones. La pintura y el empapelado se estaban cayendo, las alfombras estaban raídas y las cañerías y la instalación eléctrica necesitaban mucho trabajo. El Departamento de Estado no tenía dinero para esas tareas, por lo tanto Rich y yo apoyamos la restauración en beneficio de la unidad internacional y la promoción del modo de vida estadounidense. Casey Wondergem, que hace gran parte del trabajo de Amway en nuestros varios padrinazgos y recaudaciones benéficas, cumplió su tarea muy bien, como es costumbre, y la Sociedad Villa Taverna pudo aportar más de 250.000 dólares para el proyecto.

Rich y yo pasamos mucho tiempo en Villa Taverna durante la recaudación de fondos, el proyecto de la Exposición Génova, y posteriormente en varias ocasiones. Peter Secchia y yo somos amigos desde entonces. Peter también es de Michigan y lo conocí mediante su cercana asociación con el Presidente Ford y el Partido Republicano de Michigan. Durante la Exposición Génova '92 nos hicimos íntimos amigos. En su papel de embajador, presentaba mis discursos y se convirtió en maestro de ceremonia de varios eventos de la exposición. Parecía extraño firmar cheques al Departamento de Estado para el Proyecto de Villa Taverna y donar más fondos al gobierno para el proyecto de Génova. Peter y yo pensamos igual sobre muchos asuntos de gobierno y nos hemos quejado mutuamente de la más reciente legislación opresiva transmitida desde Washington. No nos atraía la idea de enviarle más dinero al gobierno federal, pero para mí, el Proyecto Villa Taverna valía la pena. Al fin y al cabo, la diplomacia es una función gubernamental legítima. Una vez Peter me dijo: "Es difícil creer que estamos intentando ayudar al gobierno, tú desde Génova y yo desde Roma. Han complicado tanto las cosas. No obstante, arreglar estas habitaciones vale la pena. El próximo embajador tendrá todo resuelto. El gobierno de los Estados Unidos pronto estará mejor equipado para cumplir su función diplomática. Gracias por tu ayuda".

DE VUELTA AL PAIS DE ORIGEN

Todos estos desafíos en el exterior eran maravillosos, pero ustedes deben entender por qué los esfuerzos por celebrar el Bicentenario holandés-estadounidense eran tan importantes para mí.

A comienzos de 1980 asistí a un banquete en Filadelfia donde recibí un premio otorgado por la Sociedad Holandesa de Filadelfia (Holland Society of Philadelphia). La gente con la que hablé esa noche me convenció de la necesidad de celebrar de alguna manera los doscientos años ininterrumpidos de relaciones amistosas entre los Estados Unidos y los Países Bajos. En abril de 1782, la República Holandesa fue la segunda nación (después de Francia) que dio reconocimiento diplomático a los nóveles Estados Unidos. Luego de la Guerra por la Independencia, bancos holandeses prestaron el dinero necesario para reconstruir el país y para iniciar una revolución industrial. Estos dos hechos dieron forma a la relación pacífica más duradera e intacta que los Estados Unidos tiene con otra potencia extranjera. En honor a mis antepasados y cultura holandeses, decidí colaborar en la celebración del Bicentenario holandés-estadounidense de la manera que pudiera.

El primer paso fue reunirme con J.William Middendorf II, ex-embajador estadounidense en los Países Bajos, y otras personas más para crear una organización privada sin fines de lucro llamada Fondo de Concordia holandés-estadounidense (Netherlands-American Amity Trust). Charles Tanguy, funcionario jubilado del Servicio Exterior para el Departamento de Estado, era el director ejecutivo. A principios de 1981 formamos el Comité para el Bicentenario holandés-estadounidense (Netherlands-American Bicentennial Commision). Fui elegido presidente nacional y el Vicepresidente George Bush aceptó amablemente nuestra invitación para ser presidente honorario.

Dado que el presidente intentaba reducir el gasto nacional,

la mayor parte del dinero para las festividades estadounidenses debía provenir del sector privado. Bill Middendorf, Wynant Vanderpool, Casey Wondergem y Bill Alrich trabajaron mucho para reunir 1.200.000 dólares de donaciones privadas; ¡Lograron mostrar que no se necesitan fondos gubernamentales para organizar una buena fiesta! Las generosas contribuciones de empresas e individuos nos permitieron organizar la gira de una orquesta, una carrera de yates, muestras de arte y exhibiciones especiales de historia en Estados Unidos y los Países Bajos.

CODEARSE CON LA REALEZA

En el curso de los eventos que rodearon al Bicentenario holandés-estadounidense, Betty y yo tuvimos el privilegio de conocer a Su Majestad la Reina Beatriz de Holanda. La primera vez que la vimos ¡nos extendió una invitación para que fuéramos a su palacio a tomar el té!

Me imaginé que una visita al palacio de La Haya sería muy parecido a ir a la Casa Blanca, pero la experiencia resultó bastante distinta a lo imaginado. Una visita a la Casa Blanca implica un chequeo de seguridad de seis niveles y vigilancia constante del Servicio Secreto. Claramente, los Países Bajos son un lugar más cuerdo; no existe esa paranoia que envuelve a la Casa Blanca. Simplemente, entré desde la calle, pasé a una antesala y Su Majestad me estaba esperando en el cuarto contiguo. Nos sentamos y me sorprendió ver que la Reina servía el té ella misma; no había mayordomos para atendernos. La visita fue bastante relajada; me pareció que era mucho más una visita a un vecino que a un miembro de la realeza.

Aunque yo hablo un poco de holandés, el inglés de Su Majestad es excelente, por lo tanto, desarrollamos nuestra conversación en ese idioma. Por supuesto, tratamos sobre el Bicentenario y el papel que la Reina tendría en él. Como yo era el encargado estadounidense, tenía que hacer todos los arreglos para todos los eventos de Estados Unidos. La intención de mi audiencia con la Reina Beatriz era tratar de persuadirla a que visitara especialmente nuestro país con motivo de las festividades y me alegró oír que estaba de acuerdo en hacer dos visitas separadas.

Luego del primer encuentro hubo una serie de acontecimientos sociales. El primero fue la actuación de la Orquesta Sinfónica Nacional en Amsterdam, en el Concertgebouw Music Hall. Como sabía que iba a entrar con la reina, me preocupaba hacerlo bien. Para mí, era sensato dejarla pasar antes que yo, pero justo antes de la gran entrada se dio vuelta y me dijo: "Tiene que ir usted delante de mí, así es como se tiene que hacer". Naturalmente, obedecí, pero me sentía raro porque siempre me habían enseñado que tenía que dejar pasar a las mujeres primero.

Lo más importante del año del bicentenario fueron las visitas de Su Majestad y su esposo, el Príncipe Claus, a los Estados Unidos en abril y junio. Su visita de estado de cinco días en abril fue la primera de un monarca holandés reinante en treinta años. El 21 de abril fue proclamado Día de la Concordia en Washington y se desarrollaron una serie de eventos durante todo el día para homenajear las relaciones entre Holanda y Estados Unidos.

En verdad, la Reina Beatriz fue quien me presentó al entonces Vicepresidente George Bush y a su señora. La reina, el príncipe, Betty y yo disfrutamos una tarde en la Galería Nacional de Arte en Washington D.C., luego de la cual tuvimos el placer de cenar en la casa del matrimonio Bush. La cena fue exquisita, como cualquiera esperaría cuando un vicepresidente recibe a la realeza. En honor de Su Majestad la Reina Beatriz, los colores rojo, blanco y azul de la bandera holandesa estaban al lado de los colores rojo, blanco y azul de la bandera estadounidense, en cada puerta.

La familia real de los Países Bajos fue la primera familia real con la cual tuve una estrecha relación, aunque durante la gira de la Orquesta Sinfónica Nacional tuve el placer de conocer al

rey de Bélgica y a algunos miembros de la familia real británica.
Cada vez que nosotros los estadounidenses veíamos a la "Reina
Bee" (así llegamos a decirle algunos de nosotros) nuestra admiración y amor hacia ella seguía creciendo. Admirábamos su
sonrisa amable, su energía sin límites, sus maneras cálidas pero
empresariales y ¡su gran colección de sombreros!

Sin embargo, aprendí que estar alrededor de la realeza nos
expone a que los medios de comunicación nos traten como a
ellos les sucede todo el tiempo. Una mañana mi asistente me
entregó una copia de un "periódico" belga con una enorme foto
de Su Majestad y yo sobre nuestro avión con un título en francés
que decía algo así como: "Millonario estadounidense corteja a
la Reina Beatriz". Adentro había más fotos que me mostraban a
mí entrando y saliendo del palacio con la reina y fotos de Su
Majestad en la recepción en Grand Rapids. El intento de unirnos
sentimentalmente nos hizo reír mucho a todos, menos a Betty.
Se sintió mejor después cuando la reina le dijo que nadie en
Holanda tomaba esos periódicos sensacionalistas en serio.

La verdadera diversión comenzó con la visita que hizo en
junio la pareja real. Durante dos semanas, la reina y su esposo
visitaron el país de costa a costa. Por supuesto, mi parte favorita
fue su aparición en Grand Rapids. Grand Rapids y la ciudad
vecina de Holland planearon todo un día de festividades, e
incluso Gerald Ford voló desde su casa de California para
acompañar a la reina en una visita personalizada al Museo
Presidencial Ford en Grand Rapids. La reina y el príncipe fueron
mis invitados en una recepción en el Amway Grand Plaza Hotel.
Al día siguiente, hubo una regata en los lagos Macatawa y
Michigan; a la reina le agradó saber que lo habíamos organizado
de tal manera que ella estuviera en el centro de todo a bordo
del guardacostas con el Congresal Guy VanderJagt y su esposa.

También fue un verdadero placer para mí poder llevar a mi
padre, de ochenta y seis años, a su país nativo para conocer a la
Reina Beatriz. Creo que él era consciente de las privaciones

económicas que habían obligado a sus padres a emigrar a los
Estados Unidos en 1910 y estaba orgulloso de regresar triunfante
a la costa desde donde su padre había partido. La familia Van
Andel había comenzado de cero en Estados Unidos, pero ninguno de nosotros se olvidó de nuestro legado holandés.

CAPITULO 11

Las responsabilidades de la riqueza

Desde finales de la década de los 80, la revista *Forbes,* entre otras, nos han estado incluyendo a Rich y a mí en sus ostentosas listas de multimillonarios. Ni Rich ni yo jamás hemos confirmado o desmentido esas estimaciones; las revistas tienen libertad para especular todo lo que quieran, pero no daremos crédito a sus opiniones respondiendo. Dado que Amway no cotiza en bolsa, no tenemos que poner a disposición la misma cantidad de información financiera que una empresa que sí lo hace. Generalmente, las cifras de las revistas se equivocan por un amplio margen y a veces son simplemente irrisorias. Las suposiciones cambian drásticamente de un año al otro, incluso de un mes a otro. Por ejemplo, en julio de 1991 *Forbes* estimaba la fortuna de Rich y la mía en 4.200 millones de dólares cada uno. Tres meses después, revisaron sus estimaciones bajándola a 3.000 millones cada uno. En junio de 1993, la revista *Fortune* estimaba que Rich y yo teníamos 3.000 millones cada uno, pero en la lista de la edición de octubre de *Forbes* figurábamos con 1.750 millones cada uno. Estos cálculos tan increíblemente distintos aparecieron en un momento en el que las ventas de Amway crecían mucho y constantemente. La publicación de esas listas suele ubicarnos en el foco de atención, lo que tiene ventajas (le da publicidad positiva a Amway) y desventajas (recibimos algunas cartas delirantes). La primera vez que aparecí en la lista de multimillonarios, recibí una carta de siete u ocho páginas de una mujer europea que hablaba cinco idiomas, tenía una educación fabulosa y había tenido al menos dos maridos ricos. Me contaba todo lo referente a su persona y se presentaba como lo haría algún ejecutivo postulándose para un empleo. Me dejaba bien en claro que quería conocerme y decía que podía hacer que mi vida fuera "muy agradable". Se la mostré a Bill Nicholson, a quien le pareció muy graciosa, e hizo una copia para utilizarla en sus disertaciones universitarias sobre cómo presentarse uno mismo. Por supuesto, no tuvo tanto éxito con Betty, quien estaba tentada de viajar a Europa y decirle a esa cortesana de alto precio que buscara su presa en otro lado.

Aparecer ante la opinión pública como una persona rica representa serios peligros. Gerald Bremmer, un vecino de Lake Macatawa, me escribió a comienzos de 1979 para sugerirme que ya era tiempo que considerara disponer de protección personal. Durante mucho tiempo Rich y yo tratamos de ignorar este asunto, pero alrededor de 1980 habíamos alcanzado un perfil tan alto en la zona que tuvimos que tomar la decisión de contratar personal de seguridad a tiempo completo. Hace tanto tiempo que varios de ellos, como Al Vander Hall, Rod Westveer y Larry Mokma, han estado con nosotros que ya parece que fueran parte de la familia.

Muchos distribuidores de Amway con los que he hablado quieren saber cómo es ser multimillonario. Supongo que quieren oír hablar de autos deportivos exóticos, casas alrededor del mundo, fines de semana en Mónaco, joyas caras y aviones privados. Es cierto que es lindo tener todas estas cosas y yo he disfrutado de algunas de ellas. Sin embargo, para mí, el mayor placer no proviene de la interminable adquisición de bienes materiales, sino de crear riqueza y darla. La tarea de cada persona en la tierra es usar todo lo que recibe, cada habilidad que tiene, para la máxima gloria de Dios. Se nos han dado habilidades físicas y mentales y riquezas materiales, y se espera que las usemos en su máximo y mejor potencial. No importa si se nos da mucho o poco: lo único que importa es cómo usamos lo que tenemos. Jesucristo enseñó acerca de tres sirvientes a quienes su amo confió grandes sumas de dinero. Uno recibió diez "talentos", otro cinco y otro uno. Luego de un largo período de tiempo, cada uno fue llamado para rendir cuentas. Dos de sus sirvientes, que habían invertido los talentos y duplicado el dinero de su amo fueron recompensados ampliamente. El tercero, que había enterrado su talento y no había ganado nada para su amo, fue castigado. El amo lo reprendió porque ni siquiera puso el dinero en el banco, donde hubiera obtenido la tasa de interés de mercado.

Al igual que en la parábola de Jesús, somos custodios de toda la riqueza material que se nos otorga. Cada persona tiene la exigencia de usar su riqueza para bien. A veces eso significa dar dinero; a veces significa construir algo útil con él. Entregar nuestra riqueza puede beneficiar inmensamente al individuo, la organización o la comunidad que la recibe, pero invertir la riqueza en un negocio puede hacer lo que la filantropía no puede. Construir un negocio exitoso genera riqueza. La creación de riqueza beneficia a clientes, empleados y empresarios. Amway emite catorce mil cheques de pago por semana, dándole un mejor pasar económico a catorce mil personas y a sus familias. Cada producto vendido significa que cada cliente logra un mejor pasar. Los empresarios —coordinadores, planificadores y quienes asumen riesgos— logran un mejor pasar si brindan un buen servicio a sus clientes. Más aún, cada una de estas personas es capaz de dar más dinero de lo que hubiera podido dar de otra manera. La gente que triunfa crea riqueza y trabajos, motivación y crecimiento, no sólo para sus familias y amigos sino también para muchos otros.

Cuando se logra mucha riqueza, cambian las prioridades. Sólo se puede usar un traje a la vez; sólo se puede manejar un automóvil a la vez. Dar, sin embargo, no tiene límites. La primera prioridad para Rich y para mí ha sido mantener el negocio Amway saludable y próspero. Tenemos obligaciones con clientes, empleados y distribuidores de Amway. Sin embargo, mas allá de mantener el negocio saludable y lucrativo, personalmente tenemos la obligación de compartir nuestra riqueza personal. "Quien sea generoso será bendecido, porque da al pobre de su pan", escribió Salomón, el rey-filósofo de la Biblia.

Distribuir la riqueza personal no es una elección. La riqueza debe darse; queda sólo una decisión por tomar. ¿Será mientras vivamos o se distribuirá después de nuestra muerte? Antes de morir, quien dona, determina el monto y el beneficiario y puede observar cómo su riqueza hace diferente la vida de los que la reciben. Luego de morir, en muchos casos, gran parte de la riqueza va al gobierno federal, y el fallecido se pierde la alegría de dar.

EL SIGNIFICADO DE LA GENEROSIDAD

Cuando Alexis de Tocqueville vino a los Estados Unidos en 1831 para comenzar a trabajar en su libro *Democracia en los Estados Unidos (Democracy in America)* se sorprendió del espíritu filantrópico de los estadounidenses. A todos lados donde iba veía gente reuniéndose. Estaban organizándose en pequeños grupos de caridad en el ámbito comunitario, proveyendo a los vecinos necesitados. Así fuera una necesidad para la salud, un momento financiero difícil, necesidad de ropa para niños, o un lugar para vivir, siempre había una organización comunitaria o parroquial presente para evaluar las necesidades y brindar los cuidados necesarios. Todo esto ocurría sin apoyo ni intervención del gobierno, a causa del espíritu benefactor de los estadounidenses. Tocqueville estaba sorprendido: en Europa occidental no había nada similar en ese momento.

Martin Olavsky, en su importante libro *La Tragedia de la Compasión Estadounidense (The tragedy of American Compassion)* describe a miles de organizaciones de caridad no gubernamentales que existían en el siglo diecinueve en los Estados Unidos. Estas organizaciones, fundadas por la generosidad de familias de clase media, iglesias y empresarios ricos, trataban con compasión y eficacia problemas sociales similares a los que enfrentamos hoy en día. La asistencia era de persona a persona y con la suficiente generosidad como para enfrentar las verdaderas necesidades, pero administrada de manera tal que no generara dependencia innecesaria de las limosnas. La responsabilidad moral y capacitación para trabajos productivos eran fundamentales en estos esfuerzos para dar alivio.

Hoy en día, los llamados liberales compasivos del gobierno federal han intentado centralizar la caridad. Por supuesto, esto significa que lo que era caridad eficaz basada en la comunidad o en la iglesia, ahora es un esquema de redistribución involuntaria de riqueza administrado por Washington. La verdadera caridad ha sido reemplazada por un sistema como el de Robin Hood, de robo habitual. Los ciudadanos productivos que solían contribuir a entidades de caridad privadas, ahora ven que su riqueza es desviada a programas gubernamentales mal administrados e ineficaces.

Con los programas de bienestar social del gobierno existe poca consideración en lo referente a las necesidades genuinas del individuo, mínimos esfuerzos por atacar las causas profundas de la pobreza o de la enfermedad, no existiendo incentivos reales para que la gente reciba asistencia gubernamental a fin de encontrar soluciones permanentes a sus problemas. Los estatistas quizás pretendan tener motivos nobles, pero están destruyendo a toda una población con su "generosidad".

Quizás una consecuencia aún peor de los programas de bienestar social sea la violación del derecho humano básico de la propiedad. Una vez que se pierde nuestra libertad de tener propiedad (y disponer de ella como queramos) de seguro también se pierden otras libertades. Frederic Bastiat, un economista francés del siglo diecinueve, estadista y autor, creía en la caridad privada pero no en la redistribución forzada de la riqueza. En su trabajo más conocido, *La Ley* (*The Law*), Bastiat escribe:

> Cuando una porción de riqueza es transferida de la persona que la posee— sin su consentimiento y sin compensación, ya sea mediante la fuerza o fraude— a cualquier otra persona que no la posea, entonces digo que se ha violado la propiedad; un acto de saqueo es cometido.

Opino que esto es exactamente lo que se supone que la ley debe suprimir, siempre y en todas partes. Cuando es la misma ley la que comete este acto, siendo que se debería suprimirlo, opino que igualmente se comete saqueo y agrego que desde el punto de vista de la propiedad y el bienestar, esta agresión a los derechos es aún peor.

Los programas de bienestar de los Estados Unidos, hoy en día, son una vergüenza nacional. En términos de sus objetivos establecidos, son un fracaso colosal. Los estadounidenses han llegado a ver a los pobres como una subclase permanente, sin esperanzas de cambios significativos. Esta visión pesimista de la iniciativa individual, sugiere que lo mejor que podemos hacer es darle a la gente de pocos recursos un cheque mensual para que cubran sus necesidades básicas. A veces eso es lo *peor* que podemos hacer por los necesitados. Cuando son empujadas por la necesidad, las personas extraen su energía interior y sus capacidades especiales para lograr lo que nunca creyeron posible. La mayoría de las personas tienen la capacidad y medios para enfrentar estas proezas del emprendimiento, pero a veces se necesitan privaciones económicas para que surjan de ellos. De hecho, entregarle dinero a los necesitados es la manera más segura de que sigan donde están.

Es claro que el gobierno es la peor manera de lograr cualquier clase de negocio en este país. Y, seguramente, entregarle al gobierno el negocio de la caridad no ha sido para nosotros un buen negocio.

Rich, otros empresarios de la zona de Grand Rapids y yo, hemos promovido desarrollo económico a través de nuestro Programa Lugar Correcto (Right Place Program) en lugar de los extendidos programas de bienestar social. Por supuesto, no nos hemos olvidado de la importancia de dar caritativamente, pero tratamos de mantenerlo en el ámbito de la comunidad. Al dirigir nuestra entrega a las organizaciones locales, tales como nuestra iglesia, actuamos de acuerdo con la visión comúnmente aceptada de cómo ser generoso obteniendo el máximo efecto. Creemos que nuestro enfoque puede reducir la pobreza con mucha más eficacia que los programas gubernamentales actuales.

Fomentar la economía local eleva el nivel de vida de casi todas las personas de la zona, y así la pobreza, que inspira la creación de programas de bienestar social, se ve reducida. Con eso en

mente, Rich, Amway y yo hemos contribuido en gran medida a
la revitalización de la zona céntrica de Grand Rapids. Se evaluó
el impacto en la comunidad y la coherencia con nuestros
principios cristianos de cada proyecto que llevamos a cabo.
Nuestros esfuerzos podrían llamarse el "enfoque de la libre
empresa para la renovación urbana". Aunque algunos proyectos
han empleado fondos municipales, estatales o federales disponibles, la inversión privada ha sido la fuerza impulsora del
renacimiento del área céntrica de Grand Rapids. Creemos que
los proyectos a los que hemos ayudado con nuestros fondos han
sido bien ubicados, bien organizados y hechos en el momento
adecuado.

MEJORA DEL HOGAR

Una de las mayores y mejores cosas que Rich y yo hicimos para
mejorar la zona de Grand Rapids fue restaurar y expandir un
gran hotel ubicado en el centro de la ciudad. En 1978, Amway
era quien más instalaciones hoteleras utilizaba en el oeste de
Michigan; tan solo nuestra convención anual convocaba a casi
diez mil personas y cientos más cada semana. Las instalaciones
de la zona no eran adecuadas para nosotros y no lo habían sido
durante años. El flamante centro de convenciones nos proveyó
la base para el crecimiento futuro. Rich y nuestro amigo Dick
Gillett, habían encabezado la recolección de fondos para el
centro de convenciones y de esta manera encendieron la chispa
para su desarrollo futuro; pero el centro no podía funcionar en
su plenitud sin un importante hotel nuevo. En los años anteriores, varias personas habían propuesto hoteles, pero los planes
generalmente se evaporaban. Por lo tanto, un día me senté con
Rich y dije: "Bueno, me parece que si vamos a tener la posibilidad
de usar ese centro de convenciones que ayudamos a hacer
realidad, tenemos que tener un hotel". Rich estuvo de acuerdo

conmigo y le enviamos una propuesta a Walt Sowles, coordinador del desarrollo de la ciudad, y su comité se alegró de ver lo que podíamos hacer con nuestros planes.

Entonces, en agosto de 1978, compramos el Pantlind Hotel de la calle Pearl, con la idea de renovar el hotel histórico y construir en el área inmediata una torre con más habitaciones. La compra del Pantlind fue una mezcla de decisión económica y sentimental. El Pantlind fue *el* hotel de la zona de Grand Rapids desde su inauguración en 1916 hasta la década de los 40 y los 50. Durante mi infancia y adolescencia, el Pantlind era un símbolo de algo casi inalcanzable, algo tan magnífico que uno tan solo podía soñar en pasar una noche en ese lugar. Era casi un lujo cenar en el Pantlind. En ese entonces la gente no salía a cenar tanto como lo hace hoy en día— quizás sólo una o dos veces al año. El Pantlind tenía una cocina excelente y un servicio impecable, cultivando la reputación de ser uno de los hoteles más finos de los estados del oeste central del país. Con la excelencia del Pantlind, Grand Rapids disfrutaba una era de elegancia que era posible gracias a la floreciente industria del mueble y la migración hacia el oeste proveniente de las grandes ciudades del este. Estábamos ansiosos por devolverle a la ciudad un hotel de nivel internacional.

El proyecto se completó en dos etapas. Primero, comenzamos a renovar el Pantlind. Cuando volvió a abrir en 1981 como el Amway Grand Plaza Hotel, el renovado edificio era indiscutidamente un hotel de nivel internacional. Ofrecía 395 habitaciones de lujo, seis restaurantes y bares, y varios negocios minoristas elegantes. Además, tenía un cómodo acceso a un nuevo centro de convenciones: el DeVos Hall, una sala de conciertos con dos mil asientos de la que Rich y Helen eran importantes colaboradores. Con su exquisita decoración histórica, sus amoblamientos lujosos y tradicionales (fabricados en Grand Rapids), las habitaciones recordaban la grandeza de principios de siglo. Un plantel profesional con chefs de nivel internacional y un conserje al

estilo europeo ayudaban a que la estadía en el Amway Grand
Plaza Hotel fuera al menos tan memorable como lo había sido
el Pantlind. La inauguración del nuevo hotel, el 15 de septiembre, coincidió con la apertura del nuevo Museo de Arte de Grand
Rapids el día 17, y el Museo Presidencial Gerald Ford el 18. Toda
la ciudad celebró en su rejuvenecido centro con seis días de
festividades llamadas "Celebración en el (río) Grand". Hubo
fuegos artificiales, eventos deportivos, una carrera de globos
aerostáticos y festivales comerciales. *Buenos días, América
(Good Morning, America)* transmitió desde Grand Rapids, y
Larry King y Bob Hope condujeron programas especiales. Ronald Reagan, Gerald Ford y el primer ministro canadiense Pierre
Trudeau hicieron apariciones en público y el ex-presidente de
Francia Valery Giscard d´Estaing y los ex-Secretarios de Estado
Henry Kissinger y Alexander Haig también estuvieron presentes.

Había tantos líderes políticos en esa ocasión en Grand Rapids,
que para algunos de ellos tuvo sentido aprovechar la oportunidad y reunirse. Entonces, el 17 de septiembre el presidente
Reagan se reunió con el presidente de México José López Portillo
y con Trudeau. Al Haig, que estuvo presente en esa primera
reunión, me comentó después que fue un encuentro "tenso".
Reagan y Trudeau no opinaban lo mismo sobre varios temas
importantes y había algunos temas que aclarar con México. Había
algunas disputas con los canadienses por las zonas pesqueras
de la Costa Oeste y de Nueva Inglaterra, además de un gasoducto
desde Alaska hasta el noreste de los Estados Unidos, que llevaron
a discusiones bastante encendidas con Trudeau. Del lado mexi-
cano, el tráfico de droga y la inmigración ilegal a lo largo de la
porosa frontera, creaban tensiones. A la mañana siguiente, el
grupo volvió a reunirse en el Lumber Barons Bar (ahora Tinsel-
town) del Amway Grand Plaza Hotel para el desayuno continen-
tal y para seguir conversando. Fue una ocasión trascendental
para las tres naciones y una placa de bronce en el hotel marca
el lugar de la reunión.

La segunda fase del proyecto del hotel era la construcción de una torre vidriada de 29 pisos entre el antiguo Pantlind y la zona ribereña. El proyecto de la torre era aún más emocionante para mí que la restauración del Pantlind. Apareada con el edificio histórico, la estructura de 96 metros reflejaría la "Era de la Elegancia" de Grand Rapids además del renacimiento urbano que experimentaba la ciudad. Los primeros planos mostraban una estructura agresiva pero simple que volvería a definir la línea de horizonte de Grand Rapids. Inicialmente, el edificio se concibió para ser construido a horcajadas del río Grand, con el río corriendo por debajo, y no para ser construido a orillas del mismo. Pero luego surgió el problema acerca de quién era dueño del río y quién del fondo del río, por lo tanto, decidimos construir el edificio sobre tierra firme. La torre agregaría trescientas habitaciones y suites de lujo, más espacio comercial y uno de los restaurantes más finos de Grand Rapids, el Cygnus. Actualmente, otros seis restaurantes y cuatro salones ofrecen de todo, desde sandwiches y pizza hasta cocina gourmet. Cuando el tiempo está feo, los huéspedes pueden comprar en los negocios del hotel o caminar hasta otras atracciones céntricas a través de la red de puentes elevados.

Un día antes de cumplirse un año de la inauguración del renovado Pantlind, Rich y yo "encendimos la ciudad" con una ceremonia en la que "coronamos" la nueva torre. Alrededor de 1.500 personas se reunieron en la orilla opuesta frente al Museo Presidencial Gerald R. Ford para participar. Protegidos por paraguas, bajo una llovizna intermitente, luché por dar mi discurso mientras el agua se deslizaba por el guión que yo intentaba leer. Rich no me ayudó en nada. Me dijo: "Jay, no me gusta decir esto, pero creo que estás todo mojado". Luego de nuestros apurados discursos, hubo un breve espectáculo de luces en los veintinueve pisos de la torre que miraban al río, con 1.400 luces de colores y el acompañamiento estelar de la Banda Sinfónica de Grand Rapids.

Esta ceremonia fue el evento inaugural de otra "Celebración en el (río) Grand", y había mucho para celebrar. El proyecto de 60 millones de dólares del Amway Grand Plaza Hotel era sólo uno más entre la media docena de proyectos que prometían hacer volver a la gente al centro de la ciudad. Sin embargo, la combinación del hotel y el centro cívico atraería convenciones que serían la clave para que los comerciantes volvieran al centro. Cuando los comerciantes se mudaran al centro para hacer negocio con las convenciones, los nativos de Grand Rapids los seguirían. Comenzaría un ciclo de desarrollo positivo que podría fomentar crecimiento durante décadas, y el nuevo estadio Van Andel aceleró ese desarrollo.

CONSTRUIR UN SUEÑO

Nos puso contentos ver que el nuevo complejo hotelero pronto recibió la categoría de cuatro estrellas, otorgada por la Asociación Estadounidense de Automóviles (American Automobile Association— prestigiosa entidad que evalúa hoteles y restaurantes) por la calidad y el valor de nuestro alojamiento. El hotel ha sido extremadamente exitoso, ha mantenido una clasificación de alta calidad por muchos años, y ha demostrado ser una de las piedras angulares de la reconstrucción del centro de Grand Rapids. De hecho, fue tan divertido, que desde ese momento hemos emprendido otros proyectos que han revitalizado el centro de la ciudad.

Uno de los proyectos fue un nuevo museo. En 1989, luego de mucha retórica política sobre un nuevo museo, comenzó formalmente la recaudación de fondos. Mediante la campaña, llamada "Ya era hora", los ciudadanos de Grand Rapids buscaron reunir, en un período de tres años, más de 30 millones de dólares en fondos para su construcción. Se me pidió que presidiera el comité de recaudación de fondos. Con la asistencia de Casey

Wondergem, logramos reunir gran parte de los fondos para el museo a partir de las donaciones de instituciones e individuos de la zona de Grand Rapids. Betty y yo contribuimos con 7,4 millones de dólares para el proyecto. El reconocimiento no se limitó a quienes donaron grandes sumas de dinero; cualquiera podía ayudar comprando un ladrillo con su nombre que se ubicaría en una pared especial del museo. Hoy en día, del otro lado del río Grand enfrente del Amway Grand Plaza Hotel, se encuentra el "Museo Van Andel y el Planetario Roger B. Chaffee" (Van Andel Museum Center and Roger B. Chaffee Planetarium). El siguiente proyecto importante que emprendimos fue la creación de un estadio deportivo y de entretenimiento en el centro de Grand Rapids. Hacía tiempo que Rich y yo sentíamos que un estadio sería un valioso agregado para la zona céntrica y para la comunidad, y los líderes de la ciudad habían expresado su deseo de traer a la ciudad eventos que las instalaciones existentes no podían albergar.

Dick, el hijo de Rich, tuvo la temprana intuición de organizar un grupo llamado "Grand Visión" (Grand Vision), que representaba a varios segmentos de los sectores públicos y privados interesados en los deportes y en el entretenimiento. El propósito del grupo era lograr consenso sobre la necesidad y ubicación del nuevo estadio. Como dijo Dick más adelante: "Parecía que en la comunidad había un verdadero sentido de deseo, pero los factores necesarios no se habían dado en conjunto. Le pregunté a ese grupo inicial de líderes y activistas comunitarios. «¿Esto tiene sentido o no? Si lo tiene, sigamos adelante. Si no, saquémoslo de nuestra agenda»". Al principio, cuando el grupo de Dick necesitó hacer un diseño preliminar del edificio, para ver si el proyecto era económicamente factible, yo doné los fondos necesarios para diseñar y evaluar el proyecto. La idea comenzó a generar consenso y el grupo de Dick pasó de llamarse Grand Visión a Grand Acción (o Acción del Grand, en inglés *Grand Action*) — que Dick todavía preside junto con John Canepa y

David Frey, ya que luego pasamos a ocuparnos del nuevo centro de convenciones propuesto.

Dick presentó muchos argumentos a favor del estadio. Un estadio le da más opciones de entretenimiento a la gente; así, en lugar de sentarse frente al televisor, van al centro de Grand Rapids a divertirse. Al hacer que la gente vaya desde las afueras al centro de la ciudad, también se fomenta la actividad de restaurantes y de hoteles. Combinado con todas las otras atracciones del centro de Grand Rapids, el estadio contribuye a la revitalización y crecimiento de la ciudad. El estudio de impacto económico que hizo el grupo de Dick mostró que el estadio tendría efectos extremadamente positivos para toda la ciudad.

Nuestros esfuerzos por recaudar fondos para el estadio fueron tan exitosos como lo habían sido para con el museo. La ciudad se asoció al proyecto y demostró que el estadio sería bien usado y apreciado. Originalmente, mi regalo iba a ser de 8 millones de dólares, pero a medida que los costos ascendían, Betty y yo terminamos aportando 11,5 millones para el estadio Van Andel. Arquitectónicamente, el estadio es una pieza maestra de diseño y creatividad. El impresionante exterior recubierto de vidrio se destaca en el centro histórico de Grand Rapids, pero no le resta nada a la atmósfera. Mira hacia delante, pero su presencia no es demasiado imponente; es dinámico, pero no excesivamente agresivo. Puentes elevados conectan el estadio con el Amway Grand Plaza Hotel, de cuatro estrellas y 682 habitaciones, el Courtyard de Marriott, las Torres Plaza y otros edificios céntricos importantes.

El estadio fue una excelente oportunidad de darle a la comunidad un nuevo equipo deportivo profesional. Mi hijo Dave y Dan, hijo de Rich, junto con otros líderes de la ciudad, encabezaron la campaña para traer un equipo profesional de hockey sobre hielo para la zona de Grand Rapids. Desde su apertura en octubre de 1996, el estadio de doce mil asientos ha sido el hogar de los Grand Rapids Griffins, de la Liga Internacional de Hockey. Los primeros meses de operación indicaron que el estadio sería un gran éxito. Atrajo a más visitantes de los esperados y alentó mucho la economía del centro de la ciudad. Desde su apertura en octubre hasta fines de 1997, 451.000 personas asistieron a eventos en el estadio — 11 % más de lo esperado.

TORRES PLAZA

Recientemente, Amway emprendió una masiva renovación de un edificio *nuevo* del centro de Grand Rapids. Sí, así es, nuevo. En 1992, un complejo edilicio con un hotel, un condominio y departamentos recién terminados comenzó a tener serios problemas. El complejo de torres Eastbank Waterfront, valuado en 39 millones, había sido construido con un presupuesto limitado por alguien que no era de la ciudad, y se notaba. Los paneles exteriores de ladrillo tenían filtraciones, los escapes del baño volvían a entrar al edificio y la cañería de hierro del aire acondicionado se corroía rápidamente: ¡Todo esto en un edificio que tenía pocos meses!

Originalmente, Amway iba a manejar la parte hotelera del complejo, pero cuando vimos que el edificio era tan malo, nos retiramos. Pero, cuando el proyecto se encaminaba a la quiebra, decidimos que nuestra historia de compromiso con la ciudad requería que sacáramos algo bueno de lo malo. Al principio debíamos decidir si derribábamos el edificio o si lo renovábamos por completo. Como a Rich y a mí nos gusta vernos como constructores y no como destructores, gastamos otros 40 millones de dólares para reparar totalmente el interior y el exterior. Finalizado en 1997, las Torres Plaza (Plaza Towers), como se las conoce ahora, son una estructura totalmente ocupada que adorna el horizonte de nuestra ciudad. Además de las viviendas, la torre también tiene un hotel Courtyard de Marriott, oficinas, una tienda de regalos y un gimnasio.

Naturalmente, estoy encantado de ser parte de una serie de proyectos tan exitosos que le han dado tanto a mi ciudad natal y a su gente. Pero, por un lado, tenía que hacerlo. Si de veras creo todo lo que he predicado sobre la libre empresa y los negocios, no podía pararme a un costado y dejar que el gobierno lo hiciera. Todos estos proyectos demuestran que lo que mejor funciona, es cuando el sector privado se asocia con el gobierno para hacer de una ciudad un lugar hermoso y funcional para vivir, trabajar y entretenerse.

De hecho, sin el beneficio de la participación privada, la planificación del gobierno y sus aportes a proyectos pueden transformar una buena idea en un fracaso, o transformar una idea mala en algo mucho peor. Si usted mira la parte céntrica de muchas ciudades de los Estados Unidos, la evidencia se ve con claridad. Barrios pobres surgidos para regímenes de alquiler, restricciones edilicias y otras políticas gubernamentales ridículas, marcan heridas en lo más profundo de la ciudad. Los negocios del centro de la ciudad se mantienen al borde de la quiebra; viéndose afectados por la falta de lugar para estacionar, el poco control del delito y los subsidios gubernamentales a los competidores de las afueras de la ciudad. Luego los planificadores, que actúan sin el beneficio del aporte del sector privado, deciden "resolver" el problema que creó el gobierno construyendo un estadio, horrorosamente caro y solventado por los contribuyentes, o algún otro proyecto inútil que deja a la comunidad con una deuda exorbitante.

Una solución más sensata, es permitir que las empresas privadas y los individuos determinen las necesidades de la comunidad y las cubran apropiadamente. Los planificadores del gobierno, ciegos a las verdaderas necesidades de la comunidad por razones políticas, e incapacitados por la escasa información que manejan, no llegan a ser tan buenos en ayudar a la gente como las empresas privadas y las personas con mentalidad comunitaria.

CAPITULO 12

Ingreso a la política

Me involucré en la política de la misma manera que muchas otras personas. Observaba cómo el proceso político podía afectar mi vida y comencé a tener un interés activo en lo que hacían nuestros funcionarios elegidos. Para mí, eso significó formar parte de la Comisión planificadora de Ada (Ada Planning Commission) en la década de los 60. La comisión estaba a cargo de establecer capitales en la región, lo que se suponía que iba a incrementar la base tributaria y darle a los ciudadanos de Ada empleos más cerca de su hogar. Como Amway era el negocio de mayor crecimiento de la zona, queríamos asegurarnos de que estuviera bien representada.

Mi actividad se expandió del nivel local al nivel estatal en 1971, cuando el Gobernador George Romney me nombró para la Comisión de Compensación del Estado de Michigan (Michigan State Compensation Commission). Esta comisión se creó para fijar los salarios de los funcionarios elegidos. Mi etapa como presidente me dio una oportunidad de observar el escenario político y me permitió establecer algunos contactos en el gobierno estatal. Era un trabajo difícil, no se percibía salario y algunos legisladores se enojaron mucho conmigo porque me negaba a pagarles lo que ellos creían que valían. No obstante, me mantuve en el cargo y fui nombrado nuevamente por el Gobernador Bill Milliken, que sucedió al Gobernador Romney. A medida que fui viendo mejor cómo era la vida política, me incliné a una participación más activa en el Partido Republicano, tratando de cambiar las cosas para mejor.

El Gobernador Milliken vino a verme un día en 1973 y me pidió que presidiera el Comité Republicano de Finanzas Estatales. Aunque el partido estaba en quiebra en esa época, acepté y Bill y yo realizamos muchos logros para el Partido Republicano. Bill organizaba fiestas para recaudar fondos en Lansing y se le pedía a nuestro comité que ayudara a llenar el lugar con personas que apoyaran el partido. La primera vez que hablé en Lansing, destaqué la importancia de tener un partido financieramente estable. Dije: "La primera prioridad es la deuda. Tiene que eliminarse. Y nos vamos a mantener libres de ella. ¿Cómo puede el Partido Republicano tener credibilidad entre la gente si nuestras finanzas estatales son un desastre?". Gracias a muchos colaboradores generosos, logramos convertir un millón de dólares de deuda en un millón en fondos para la tesorería del partido en el lapso de un año.

Apoyé a muchos legisladores republicanos a través de mis donaciones al partido, comenzando por aquéllos que estaban cerca de mi hogar en Michigan, y más adelante, a otros pertenecientes a la escena nacional. Creo firmemente que los partidos políticos deberían ser las agencias que se encargan de solicitar y desembolsar las contribuciones políticas; no los candidatos ni los comités de los candidatos. Por este motivo, el grueso de mis contribuciones políticas fueron hechas al Partido Republicano, no a candidatos individuales. Cada vez que doné a candidatos específicos, siempre traté de apoyar a quienes sabía que eran honestos y morales. Este país necesita desesperadamente políticos más responsables y morales. Algunos pueden pensar que esto es una contradicción, pero hay muchos legisladores a quienes conozco personalmente que son moralmente rectos, además de ser entendidos en los temas; aquí incluyo a nuestro congresal Vern Ehlers, que remplazó al difunto Paul Henry.

El difunto Paul Henry era uno de esos hombres a quien yo consideraba un legislador ideal. Era un hombre honesto, alguien que representaba bien a sus votantes. Paul también era filósofo; habiendo sido profesor en el Calvin College, era un erudito antes que un simple técnico legal. Los filósofos especulan con el "debe ser"; mientras que la mayoría de los políticos parece concentrarse estos días en el "es". Creo que el Congreso sería actualmente mucho más fuerte si pudiéramos remplazar a algunos de los "abogados tan pragmáticos" por filósofos con una "base sólida de pensamiento". Para mí era un placer poco frecuente poder disfrutar de una profunda conversación teológica y filosófica con él. Esa capacidad la debe haber heredado de su padre, Carl Henry, quien probablemente es uno de los teólogos protestantes más exquisitos del país.

Mi ingreso a la política nacional fue a través de mi trabajo en la Cámara de Comercio de los Estados Unidos. La misión de la Cámara de Comercio me atraía por su énfasis en la industria, no en el gobierno, como fuente de crecimiento económico. Comencé a trabajar en la cámara a nivel del estado en la década de los 60, y en 1970 me eligieron presidente de la junta de la Cámara de Comercio del Estado de Michigan. Esto hizo que la gente de la organización nacional pusiera su atención en mí, y en 1972 fui elegido para la junta nacional de directores.

Luego de siete años en la junta nacional, me eligieron como presidente de la junta por un período. Esa fue una época emocionante y plena de satisfacciones para mí. La presidencia me dio la oportunidad de hablar en defensa de la libre empresa en todos los Estados Unidos, y la aproveché al máximo. Una vez que terminó mi período, continué mi actividad en la cámara presidiendo el Comité Ejecutivo. La cámara tenía un límite de permanencia en su junta de directores (¡Ojalá el Congreso de los Estados Unidos adoptara esa política!) por lo tanto, en 1985, luego de catorce años en la junta, completé mi período y desvié mi atención a otras cosas.

VUELO A LA LIBERTAD

Una de las organizaciones políticas más interesantes en la que estuve involucrado fue la Fundación Jamestown (Jamestown Foundation), que ayudé a fundar en 1983. La guerra fría estaba en su apogeo en esa época y el Departamento de Estado no estaba haciendo un buen trabajo para aprovechar al máximo a los desertores como consultores o en otras posiciones similares. Ex-agentes de la KGB, miembros de alto rango del ejército soviético y otros desertores de alto nivel, se encontraban a sí mismos en trabajos menores y con bajos salarios luego de que el gobierno de los Estados Unidos los hubiera interrogado. Esto nos inquietaba a quienes creíamos que estas personas podían contribuir mucho más al país. La Fundación Jamestown se formó para ayudarlos a adaptarse a la vida en los Estados Unidos y ubicarlos donde fueran respetados y aprovechados con máxima ventaja.

La Fundación Jamestown me dio la oportunidad de ver la vida detrás de la Cortina de Hierro. En una cena a beneficio de la Fundación en Washington en 1989, tuve el privilegio de encontrarme con un grupo de distinguidos desertores soviéticos, incluyendo a ex-agentes de la KGB, ex-diplomáticos y altos oficiales del ejército soviético. En mi mesa estaban el Secretario de Defensa Dick Cheney y el desertor Arkady Shevchenko. La deserción de Shevchenko en 1978 fue una noticia importante en los Estados Unidos, ya que había sido subsecretario general de las Naciones Unidas y había sido consejero personal de Andrei Gromyko. Su intrigante libro *Romper con Moscú (Breaking with Moscow)*, que escribió luego de desertar, se convirtió en libro de mejor venta en los Estados Unidos. En las charlas que di en esa cena, hablé de los grandes sacrificios personales que estos desertores habían hecho y de cómo se habían convertido en nuestros recordatorios del valor de la libertad. Algunas de estas valientes personas habían disfrutado de la vida fuera de la Unión Soviética, mientras que otras sólo habían escuchado rumores al respecto. A pesar de los riesgos y el obvio costo del dolor personal, creían que valía la pena abandonar su tierra natal para ganar libertades humanas básicas.

Ahora que ha caído la Cortina de Hierro, la Fundación Jamestown trabaja para sacar a la luz lo que está pasando en los países que eran comunistas; dan información actualizada sobre su crecimiento y desarrollo, y detalles de lo que podría interesarnos como estadounidenses. Ya no estoy personalmente involucrado con el trabajo de la Fundación Jamestown, pero estoy orgulloso de ver que lo que ayudé a crear continúa produciendo frutos.

También tuve el privilegio de trabajar en la junta del Legado Nacional para la Democracia (National Endowment for Democracy, NED) desde sus comienzos en 1983. Este grupo respaldado por el congreso es una asociación bipartidaria cuya misión es dar apoyo financiero y técnico a grupos que trabajan para la democracia en todo el mundo. El NED logra darles a estos grupos una influencia decisiva, con un presupuesto relativamente pequeño y métodos no intrusivos. En 1988, fondos del NED ayudaron a doscientos mil chilenos pobres a obtener las fotos carnet que eran requisito para votar, lo que contribuyó a una masiva concurrencia de votantes y a una victoria por un estrecho margen sobre la dictadura de Pinochet. También entregamos fotocopiadoras, imprentas y otros equipos y materiales para apoyar a grupos que luchan por eliminar regímenes opresivos. Es difícil saber el efecto que esto tiene, pero yo me imaginaba a miembros de un pequeño grupo opositor haciendo miles de volantes en una fotocopiadora del NED, luego entregándolos en las calles y corriendo muchos riesgos. Estoy convencido de que el trabajo del NED tuvo mucho que ver con la caída del comunismo en el ámbito mundial en la década de los 90.

Mi ingreso al NED en realidad vino a través de mi trabajo para la Cámara de Comercio de los Estados Unidos. La cámara iba a ser uno de los cuatro "grupos fundamentales" detrás del NED, y a mí se me asignó el rol de representante de la cámara en la junta de directores. La primera reunión organizativa del NED reunió a algunos empresarios y líderes sindicales destacados, incluso a Lane Kirkland, presidente de la Federación Estadounidense de Trabajadores (American Federation of Labor). Estas personas estaban sentadas tratando de decidir a quién iban a elegir como tesorero cuando Lane dijo: "Bueno, tiene que ser Jay Van Andel: tiene tanto dinero que nunca se le ocurriría robarnos. ¡Tenemos que elegirlo a él!". Así se resolvió, y durante un tiempo fui el tesorero del NED.

Así como mi filosofía política difería de las filosofías de algunos de los otros individuos sentados en la mesa de reuniones del NED, me impresionó mucho que todos estuviéramos unidos por la idea básica de una forma democrática de gobierno. Cuando analizábamos la violencia y la tiranía que caracterizaba a muchos gobiernos no democráticos de todo el mundo, nuestras diferencias políticas sobre los Estados Unidos parecían mucho menos importantes.

UN LUGAR PARA LA POLITICA

¿Por qué sentí que era necesario desarrollar tanta actividad política? Muchos defensores de un estado poderoso deseaban que me involucrara menos. Pero para mí, era una responsabilidad que yo tenía —la obligación de involucrarme en el terreno civil. La naturaleza débil de la supervivencia misma del país me llamaba a ingresar al campo de batalla político. Para mí, también era un llamado religioso. Algunos dicen que la religión y la política no se mezclan, o que la política es "sucia" y los cristianos no deberían involucrarse. A mí me parecía que la religión ya estaba en la política— la religión del estatismo. Cuando los ciudadanos de un país le piden al estado todopoderoso comida, casa y ropa, protección contra desastres naturales, educación— en síntesis, le piden por todas sus necesidades terrenales— el estado es un dios para esa gente.

Mi legado calvinista holandés también me daba mucho impulso para mi actividad. El teólogo francés y antiguamente gobernador de Ginebra, Juan Calvino, creía que debe haber un magistrado civil para limitar al hombre, ya que es básicamente propenso a hacer el mal. Muchos políticos no tienen problema con esta idea. Lo sé porque la llevan al extremo, al enviar ejércitos de burócratas para evitar que la gente haga lo que ellos creen que es malo. Pero a veces se olvidan de la segunda parte de la enseñanza de Calvino sobre el estado. Según Calvino, el magistrado civil también era propenso a hacer mal y por este motivo también necesitaba límites. Así, encontramos en Calvino la base religiosa del gobierno constitucionalmente limitado.

En 1900, Holanda tenía un primer ministro que creía fervientemente, al igual que sus compatriotas de la época, que los principios cristianos se aplicaban a la política al igual que a cualquier otra faceta de la vida. Su nombre era Abraham Kuyper. Kuyper creía profundamente en la separación entre iglesia y estado, pero sostenía que el gobierno civil era responsable ante

Dios de llevar a cabo tareas definidas. Debido a la propensión del hombre a hacer el mal, el gobierno resultaba necesario para "impedir toda licencia y atropello, y para proteger el bien contra el mal". Kuyper escribió: "La mayor obligación del gobierno sigue siendo [...]la de la justicia [...]". También estaba la exigencia moral de que el gobierno se mantuviera al margen de ciertas áreas de la vida de las personas: "En un sentido calvinista [...] la familia, los negocios, las ciencias, las artes y demás, son todas esferas sociales, que no deben su existencia al estado y la ley que rige su vida no proviene de la superioridad del estado [...]". Abraham Kuyper descarta hábilmente la noción de que el estado tiene jurisdicción ilimitada; en vez de eso, pide proteger cada esfera de autoridad ante la interferencia de otros. Mientras que el gobierno civil es claramente necesario dentro de la esfera de la soberanía de Kuyper, ciertas "esferas" de la actividad humana están fuera de los límites de la intervención estatal. Así, como dijo Kuyper, "quizás el Estado nunca se transforme en un pulpo que sofoca toda la vida. Debe ocupar su propio lugar, con su propia raíz, entre todos los otros árboles del bosque, y así debe honrar y mantener cada forma de vida que crece inde-pendientemente en su propia autonomía sagrada".

Sin un entendimiento claro de los principios que enseñó Kuyper, es probable que cometamos serios errores. El presidente Clinton, con bastante corrección, recientemente pidió que cada iglesia de los Estados Unidos le diera trabajo a alguien desem-pleado. No se debería necesitar un recordatorio presidencial para motivar a la iglesia; éste es exactamente el tipo de ayuda orientada a los pobres para la cual Dios llamó a los cristianos. Pero algunos miembros de la iglesia han protestado contra este llamado a la responsabilidad eclesiástica. Un tal Reverendo Albert Pennybacker, del Consejo Nacional de Iglesias, respondió a Clinton en el número de la revista *Time* del 17 de marzo de 1997 diciendo: "Nuestro trabajo no es compensar el fracaso del gobierno en hacer su trabajo".

El comentario del Reverendo Pennybacker revela su falta de comprensión del principio de esfera de soberanía de Kuyper. Generar empleos no pertenece a la esfera del gobierno civil, sino que pertenece al dominio de empresarios particulares. Cuando el gobierno trata de intervenir, generalmente resulta en menos trabajos y menor productividad en el largo plazo. El gobierno debería dejarle libre el camino a los negocios privados y a la caridad particular, en vez de encargarse de la tarea de brindar empleo. Los empresarios crean trabajos productivos y descubren otras maneras de satisfacer necesidades humanas, y las instituciones de caridad ayudan a quienes no pueden encargarse de sus propias necesidades adecuadamente.

Entonces, los individuos, familias, iglesias y gobiernos civiles, todos tienen sus propios reinos. El individuo y cada institución en la que se involucra, son importantes para la prosperidad de una nación. El gobierno civil no es la única ni la mayor institución humana. Antes de que el gobierno federal expandiera abruptamente su esfera de influencia en la década de los 30, esto se comprendía con mayor claridad en los Estados Unidos. Familias, iglesias y relaciones vecinales estabilizaban y gobernaban la sociedad; el gobierno civil no se requería ni se necesitaba en muchas situaciones. Estas otras instituciones eran muy efectivas en la educación de los niños, la promoción de la decencia y la civilidad, en cubrir las necesidades de los pobres, e incluso en mantener el delito en niveles mínimos. Las iglesias eran una fuente de nutrición espiritual y cuidado material, ya que las congregaciones se ocupaban de las necesidades de sus miembros y de la comunidad en su conjunto. Sociedades locales de ayuda mutua, amigos, familias y vecinos asistían en el cuidado de pobres e inválidos.

La familia y la iglesia cumplen importantes papeles en la vida de una sociedad porque son instituciones duraderas. Las familias mantienen continuidad de una generación a la siguiente: alientan comportamientos socialmente aceptables, brindan apoyo emocional, físico y material y enseñan idioma, cultura y ética. Sin la capacitación, el apoyo, la disciplina y el amor de las familias, la civilización tal como la conocemos hoy se derrumbaría. Las iglesias, además de cumplir su función como centros de culto, preservan a lo largo de miles de años aquellas tradiciones morales que son fundamentales para el imperio de la ley. Sin el imperio de la ley, la sociedad se deterioraría rápidamente y se transformaría en un desarreglo anárquico en el que serían imposibles la industria y el comercio. La enseñanza moral de mantener las promesas y respetar las posesiones de otros hace desistir a la gente de romper contratos y permite que los negocios funcionen para beneficio de toda la economía.

Para evitar que el gobierno civil usurpe las funciones de estas otras instituciones, y que de ese modo destruya su eficacia, el gobierno civil debe estar limitado por principios morales tradicionales. Cada institución de la sociedad tiene su poder necesariamente limitado por otras instituciones y, en último lugar, por las personas. Esto se aplica en igual medida al estado. Dado que todos somos humanos y sujetos a fallas humanas, el impulso del gobernante de tener poder ilimitado debería estar estrictamente restringido por las personas. Cada ciudadano debe estar atento, porque cada rey, cada presidente, cada primer ministro, cada senador, cada consejero vecinal y cada jefe de policía, sufre la tentación de abusar de su autoridad. Hoy parece que asumir responsabilidad por la propia vida es algo cada vez más extraño. En un sentido limitado, es más fácil deslindar responsabilidad y pedir al gobierno que haga lo que todos deberíamos hacer por nuestra cuenta y con la ayuda de nuestras familias, iglesias y otras organizaciones del sector privado. Parece que lo que la gente se olvida es que alguien tiene que pagar todo eso y ese alguien somos siempre nosotros a través de impuestos. Y, como ustedes pueden adivinar, yo no creo que los cada vez más elevados impuestos ayuden ni a los negocios ni a los individuos.

CAPITULO 13

¿Quién usa mejor su dinero?

La política fiscal de recaudar impuestos y gastarlos, que ha caracterizado prácticamente a todos los gobiernos demócratas de la historia moderna, ha sido una de las fuerzas económicas y políticas más destructivas que haya azotado a la nación. El ejemplo más claro se vio durante la presidencia de Jimmy Carter. En esa época, yo trabajaba en la Cámara de Comercio, donde pensábamos que lo mejor que podía hacer el gobierno para ayudar a la economía, era reducir los impuestos y los gastos. Pero, de acuerdo con el presidente Carter y los derrochadores del Congreso, gastar era la clave para el crecimiento económico. Por lo tanto, si los estadounidenses no gastaban lo suficiente por su cuenta, seguramente no sabían lo que era bueno para ellos. El gobierno sabelotodo debía sacarles su dinero por medio de impuestos y gastarlo por ellos.

Lo que el gobierno de Carter y el Congreso no entendían es que es la inversión y no el gasto lo que impulsa a la economía. A largo plazo, la inversión hará que todos tengan mayor bienestar al incrementar la capacidad productiva de la economía. Esto fue malentendido por Carter y por la mayoría de los presidentes demócratas de nuestro siglo. Las tasas de interés de más del 21% que surgieron como resultado de la economía mal dirigida de Carter, desanimaron inversiones y arrastraron en su caída a toda la economía. Como consecuencia, el ingreso real de una familia estadounidense promedio cayó desde 1977 a 1981. Sólo los ingresos del 1% de los norteamericanos, los más ricos, aumentaron durante los años de Carter. Por eso siempre me desconciertan los liberales cuando repiten que recortar impuestos sólo beneficia a los ricos. Aquí hay un claro ejemplo de cómo el aumento de impuestos causó daño al contribuyente promedio mientras que los ricos se beneficiaron.

Cuando un generoso crédito impositivo sobre la inversión y otros cambios tributarios impulsados por Reagan aparecieron en 1981, algunas personas supusieron que ésta era otra manera de que los ricos, dueños de capital, redujeran la mano de obra. Un momento de reflexión demuestra que esto no era cierto. ¿Quién logra más: un hombre con una pala o uno con una topadora? Es claro que el hombre que tiene maquinaria pesada puede hacer más y disfrutará parte de las ganancias adicionales que genera su productividad incrementada. El inversor de capital— la persona que invirtió en la maquinaria pesada— incrementó la productividad del trabajo y, en consecuencia, el retorno a la mano de obra. ¿Qué pasó con el bienestar del estadounidense promedio? Aumentó. El ingreso real de una familia promedio creció más de un 15% entre 1982 y 1989, revirtiendo así la tendencia de los años del gobierno de Carter. Este incremento incluyó a todos los sectores de ingresos, desde los más pobres a los más ricos. Y el crecimiento fue uniforme. Desde 1982 hasta 1990, los estadounidenses disfrutaron un nuevo período de paz, con un récord de noventa y seis meses continuos de crecimiento económico.

AJUSTARSE EL CINTURON

Las políticas de recaudar impuestos y gastar son las más peligrosas porque son difíciles de revertir. El gobierno cobra impuestos y gasta por dos razones básicas. Primero, las políticas de recaudar impuestos y gastar están dirigidas a alcanzar objetivos macroeconómicos tales como menor desempleo e ingreso real más alto. Pueden alcanzar estos objetivos a corto plazo, pero el resultado a largo plazo será un mayor desempleo y un menor ingreso real. Segundo, los presupuestos gubernamentales se usan para acumular votos para los políticos que los elaboran. Políticos deshonestos dejan de emitir leyes que beneficien a todos y emiten leyes que sacan riqueza a todos para beneficiar a grupos de interés particulares. Según escribió el economista francés Frederic Bastiat, el estado se transforma en "esa gran entidad ficticia por la cual todos buscan vivir a costa de todos los demás". Precisamente por eso es tan difícil recortar el gasto: cada estadounidense tiene uno o dos programas gubernamentales favoritos que no quiere que se recorten. Cualquier político que sugiera que se recorte un programa de gasto gubernamental, inmediatamente será bombardeado por quejas y amenazas de uno o más grupos de interés particulares. El buzón del legislador se llenará de cartas que lo condenen por promover "pérdidas de puestos laborales" y por oponerse al "bien común". No importa que el recorte del presupuesto incremente las oportunidades laborales y aumente el bienestar de todos a largo plazo. Si todos pudiéramos dejar de lado nuestros programas favoritos, la sociedad estadounidense en su conjunto se beneficiaría en gran medida.

Existen en la actualidad aproximadamente 1.400 programas federales activos de bienestar social. Para reducir el gasto gubernamental y la infraestructura del gobierno, la gente tendrá que dejar de lado algunos de estos programas. Donde sea necesario, el sector privado se involucrará para satisfacer necesidades humanas— en los casos donde el gobierno se haga a un lado. Dado que grupos de caridad privados y otras organizaciones pueden funcionar con mayor eficacia y más énfasis en el individuo, pueden hacer mejor trabajo para satisfacer esas necesidades que lo que el gobierno alguna vez hizo.

Lo que se necesita es ajustarse un poco el cinturón en el corto plazo. El empresario que recibe un préstamo garantizado por el gobierno, tendrá que desistir de él. El granjero que recibe subsidio de precios deberá dejarlo. La madre a quien los contribuyentes le pagan el almuerzo del colegio para su hijo, deberá pagarlo ella misma o buscar una organización de caridad que la ayude. El profesor que recibe una subvención para estudiar la vida sexual de una rana brasileña, tendrá que convencer a algún grupo de investigación, corporación o a personas para que le den esa subvención. El artista que recibe fondos del gobierno para producir arte malo que nadie compra, deberá salir al mercado y producir cuadros que alguien quiera. La persona que recibe bonos para la compra de alimentos, tendrá que presentarse en una iglesia o una organización de caridad para que la ayuden. El estudiante universitario que recibe una subvención del gobierno para ir a la universidad, tendrá que presentarse a una beca o salir a trabajar para pagar la cuota. El político que vive de sacar dinero de los bolsillos de todo el mundo para dárselo a quienes buscan favores de él, tendrá que conseguirse un trabajo honesto.

La verdad es que la redistribución del gobierno ha invadido casi todos los aspectos de nuestra sociedad, por lo tanto, un recorte gubernamental afectará a casi todos. A menos que nosotros, como nación, estemos dispuestos colectiva e individualmente a aceptar los costos temporales de esa reducción, podremos disfrutar los considerables beneficios del largo plazo.

Los recortes de gastos traerán como resultado una mayor tasa de crecimiento y menores tasas de interés. Las tasas de crecimiento más altas son algo más que un número que alegra a los economistas. Tasas de crecimiento más altas significan un mejor nivel de vida para nosotros, para nuestros hijos y para nuestros nietos. Cualquier sacrificio que hagamos en el corto plazo, estará más que compensado por el abrupto incremento de la riqueza en un futuro no muy lejano.

La clave de una mayor tasa de crecimiento se basa simplemente en que el gobierno le permita al sector privado hacer lo que mejor hace. El sector privado puede, y está dispuesto a reemplazar, a gobiernos federales y estatales en: proveer obras de caridad, otorgar becas, subvenciones, préstamos y otras clases de apoyo. Y el sector privado puede hacer todo esto de una manera saludable para el negocio y para la economía, en beneficio de todos.

UN MEJOR SISTEMA IMPOSITIVO

Una manera de reducir el daño que producen los políticos que cobran impuestos y gastan, sería crear un sistema tributario menos destructivo. Si nos hubiéramos propuesto inventar la manera más complicada, injusta, cara, controvertida e ineficaz de recaudar impuestos federales, hubiéramos obtenido un sistema muy similar al que tenemos actualmente. En tres estudios de investigación distintos en los que estuve involucrado, desarrollados por la Cámara de Comercio de los E.U.A., la Elección de los Ciudadanos (Citizen's Choice) y la Fundación Legado (Heritage Foundation), se llegó a la conclusión de que los impuestos estadounidenses a las ganancias de individuos o de empresas, están entre las maneras más insensibles que podrían idearse de lograr ingresos federales.

El moderno impuesto a las ganancias, que se introdujo en 1913 con la Decimosexta Enmienda a la Constitución, tiene efectos devastadores y de gran alcance para nuestra economía. El número dos en la lista de diez objetivos del *Manifiesto Comunista* de Marx y Engels, el impuesto progresivo a las ganancias, permite la redistribución de ingresos a gran escala. Una vez que este proceso inmoral comienza, no tiene un final claro. Si es bueno sacarle a la fuerza un poco a alguien y dárselo a otra persona, quizás entonces sea mejor sacarle aún más por la fuerza a alguien y dárselo a otro, o bien expandir el número de personas que lo reciben. El verdadero final es que, en vez de simplemente ayudar a los pobres, desempleados y minusválidos, un enorme ejército de otras personas con necesidades cuestionables, también forman fila para recibir limosnas. Finalmente, hay tantas personas esperando para recibir, que se hace políticamente imposible de controlar. Lo que comenzó como un problema moral, rápidamente se convierte en problema político y económico. Le sacamos tanto a las personas productivas para darle a las improductivas, que creamos una nueva clase de estadounidenses que viven de los impuestos que pagan otros. Mientras tanto el estatista "compasivo" pretende que esta apropiación institucionalizada del presupuesto para fines políticos, es sólo por el bien de los pobres. La productividad se reduce y el pastel a repartir inevitablemente es menor para todos. Finalmente, como lo dijo Warren Brookes: "El intento de redistribuir la riqueza mediante la redistribución de dinero por las tablas de impuestos progresivos, sólo mantiene pobres a los pobres, ricos a los ricos y a la clase media luchando cada vez más para mantenerse al día con los impuestos".

Las dificultades para comprender los códigos impositivos agudizan los problemas del impuesto progresivo a las ganancias. Ya representa suficiente problema cuando se necesita todo un día (o más) en un año de un ciudadano común, para presentar una declaración de impuestos o cuando ese ciudadano se rinde y le paga una considerable suma a un contador para que se la prepare. Las cosas se agravan cuando no se puede confiar ni en los consejeros del IRS (entidad de contralor impositivo) para recibir la ayuda correcta.

El tema impositivo era importante para Amway y para mí en particular. Debido a la complejidad del código impositivo y a algunas malinterpretaciones personales sobre lo que era Amway, algunos distribuidores tuvieron problemas con el IRS. En 1982, el Congreso y el IRS investigaron grandes deducciones hechas por distribuidores de Amway. Aparentemente algunas personas habían iniciado el negocio Amway como un refugio contra impuestos y no como un emprendimiento legítimo para ganar dinero. Se habían forzado algunas reglas concernientes a la deducción por gastos comerciales, y varios distribuidores se encontraron a sí mismos enfrentados con el costado no tan amigable del IRS. Los distribuidores que se dejan llevar buscando artimañas para reducir sus impuestos están confundidos respecto al propósito de Amway, por lo tanto cooperamos con el IRS para comunicar el problema a nuestros distribuidores y frenar la evasión impositiva.

Parte del problema surgió con un ex-agente impositivo del IRS que se convirtió en distribuidor de Amway. Este auto-proclamado experto en impuestos, les entregó a otros distribuidores una interpretación irracional de la ley tributaria hecha con inteligencia pero distorsionada. Algunos de los distribuidores que lo escucharon, comenzaron a emplear estrategias creativas pero mal encaminadas para aumentar sus deducciones y dañarse no sólo a sí mismos sino a toda la organización Amway.

Con impuestos fijos sin complicaciones, no hay deducciones

que confundan a los contribuyentes y enriquezcan a los abogados especialistas en cuestiones impositivas, no hay reglas ambi-
guas que forzar. El IRS puede enviar a la mayoría de su personal
de ejecución a tareas más productivas, porque no hay tantas
posibilidades de cometer fraudes. Mientras yo era presidente de
la Cámara de Comercio de los E.U.A., hablé a favor de una tasa
impositiva fija sin ninguna deducción. Varios años después, en
el verano de 1985, atestigüé ante una subcomisión de Medios y
Arbitrios de la Cámara de Diputados para apoyar la reforma
propuesta por Reagan al sistema federal de impuesto a las
ganancias. El sistema federal de impuestos estaba fuera de
control y la propuesta de Reagan era el comienzo del regreso a
la cordura impositiva. Mientras yo atestiguaba, casi tres millones
de estadounidenses trabajaban a tiempo completo en actividades relacionadas con el cumplimiento de impuestos federales.
Los empleados del sector privado dedicados al cumplimiento
en el pago de impuestos eran casi treinta y dos veces más que
los noventa y tres mil empleados del IRS. Aunque la ley impositiva
que Reagan proponía, mantenía las deducciones y una estructura de tasa progresiva, la apoyé porque era un gran avance con
respecto al sistema anterior. Mi ideal seguía siendo un impuesto
fijo sin deducciones, pero un proyecto de ley de impuesto
realmente fijo nunca hubiera sido aprobado por el nonagésimo
noveno período de sesiones del Congreso.

Le manifesté a la subcomisión que las leyes impositivas no
deberían usarse para influenciar la política social o económica.
Una ley impositiva debería usarse únicamente para recaudar
dinero de la manera más justa, simple y eficaz posible. También
dije que las ganancias corporativas no deberían usarse como
base tributaria. En primer lugar, las ganancias tributarias son
difíciles de definir y traen a escena a un ejército de abogados,
contadores y auditores del IRS. La propuesta de Reagan no
eliminaba ese problema, pero movía las cosas en la dirección
correcta, según creo. En segundo lugar, cualquier impuesto

corporativo se transmite de alguna manera a las personas. Los clientes pagan precios más altos, los trabajadores cobran salarios más bajos y los poseedores de acciones reciben menos intereses. Así, el impuesto a las ganancias corporativas es, esencialmente, un impuesto oculto y falaz para los individuos. Al mismo tiempo, es posible que los competidores corporativos paguen pocos impuestos o nada, lo que pervierte y extingue la imparcialidad de nuestro sistema básico de libre empresa.

Los impuestos a las ganancias sólo caen sobre el competente y el exitoso; a los grandes derrochadores que logran pocas ganancias, a los operadores descuidados, a los incompetentes, se les permite que sigan sin pagar impuestos. Los negocios de crecimiento rápido y con grandes ganancias que algún día podrían competir exitosamente con la Comunidad Europea o con Japón tienen impedimentos para seguir creciendo debido a estos impuestos. A los pequeños negocios, que necesitan capital pero no pueden emitir acciones, se les niega una gran parte de una fuente importante de fondos para expandirse. Cobrar impuestos por estas ganancias es extinguir los negocios.

Se suponía que la propuesta de reforma impositiva de Reagan era neutral respecto a los ingresos, lo que quería decir que los impuestos totales que se extraían del sector privado seguían iguales. Cambiar el código impositivo no hizo nada para aliviar la carga tributaria total del pueblo estadounidense, pero sí hizo que la carga fuera un poco más equitativa e hizo el código impositivo un poco menos complejo.

La Ley Impositiva de Recuperación Económica de Reagan de 1981, que tuvo pleno efecto a partir de 1984, redujo en general las tasas de impuestos sobre márgenes de ganancias. En 1986, la Ley de Reforma Impositiva redujo casi a la mitad la tasa máxima, de un 50% a un 28%. ¿Esto era injusto para los estadounidenses de menores recursos? No. Como consecuencia del amplio aumento de la productividad que resultó de los recortes impositivos, la distribución de las ganancias de los estadounidenses de mayores ingresos aumentaron, a pesar que las tasas de impuestos sobre márgenes habían caído. En 1980, los estadounidenses con el 1% de ingresos brutos más altos pagaban 19,3% del total de los impuestos a las ganancias individuales de la nación. En 1988, al final de la era Reagan, ese grupo pagaba 27,6%. La estructura de tasa impositiva más sencilla de Reagan dio como resultado un cambio en la carga del impuesto a las ganancias individuales; se trasladó de la gente de clase baja y media a los estadounidenses con ingresos más altos.

El siguiente paso era un impuesto fijo de acuerdo a lo que Steve Forbes sugirió en su candidatura a las internas del Partido Republicano de 1996. Un impuesto fijo era más simple, más justo y más barato de implementar. Una declaración de impuestos podía hacerse en una tarjeta que se podría llenar en tres minutos. Mi declaración de impuestos federales tiene 1.200 páginas. La mayoría de los estadounidenses no tiene que llenar tantos formularios, pero de todas maneras puede llevar mucho tiempo satisfacer al IRS con el papeleo adecuado. Y quiero decir mucho tiempo de verdad. Los estadounidenses le dedican 5.400 millones de horas al año al papeleo relativo a impuestos federales. Si pensamos que esa gente podría estar trabajando en algo productivo durante ese tiempo, esta tarea intimatoria representa una pérdida de 159.000 millones de dólares al año para la economía, de acuerdo a *Declaraciones Costosas* (*Costly Returns*), un libro de James Payne editado en 1993. Se requiere que multitudes de contadores y abogados impositivos, sin mencionar la enorme burocracia del IRS, apoyen el sistema de impuestos a las ganancias. ¡Imagine cuánto mejor estaría nuestra economía si a estas personas bien capacitadas y muy inteligentes se las liberara de los cálculos impositivos para trabajar en puestos más productivos!

Los legisladores deberían considerar la opinión de mi amigo Ed Feulner. Sin andar con rodeos, Ed propone: "Que Washington deje el maldito código impositivo— que declare una moratoria a las liquidaciones de impuestos, hasta que esté listo para hacer lo que realmente es necesario hacer. Es decir, tirar el código impositivo de más de diecisiete mil páginas en el cesto de basura más grande de Washington y reemplazarlo con un impuesto fijo y simple que todos puedan comprender sin la ayuda de un contador, abogado o intérprete". Estoy de acuerdo con Ed. Un sistema justo con una tasa impositiva fija y baja, sin exenciones y sin que el IRS imponga tácticas como las de la Gestapo, sería mucho mejor que el sistema absurdo que tenemos actualmente.

Es posible que los estadounidenses no se den cuenta de cuántos impuestos se les aplican. Si se pudiera educar de alguna manera a los estadounidenses sobre el alcance y la magnitud de la aplicación de impuestos, se podría llegar al ímpetu necesario para votar en contra de los políticos que recaudan y gastan. Quizás no sea accidental que el día de elecciones sea exactamente seis meses después del 15 de abril, lo más lejos posible en el calendario. ¿Y si los estadounidenses votaran el mismo día que pagan sus impuestos? También, podríamos revocar la retención federal de los impuestos a las ganancias personales. Hagamos todos un cheque para el IRS el 1º de noviembre en vez de que el gobierno retenga el dinero de nuestros salarios y lo guarde (sin interés).

Pero eso es sólo la mitad de la historia. Aunque cambiemos el código impositivo, todavía tendremos que vigilar nuestras billeteras porque el gobierno tiene otras maneras de sacarnos dinero.

CAPITULO 14

Otro nombre para los impuestos

Durante décadas, Amway comercializó vitaminas en caja. Luego, la Comisión de Seguridad de Productos al Consumidor (Consumer Product Safety Commission) nos ordenó poner en las cajas un cierre de seguridad para niños. Hicimos una encuesta entre nuestros consumidores y descubrimos que abrían el cierre y lo dejaban abierto, para evitarse la complicación. Cada cierre nos cuesta cincuenta centavos y vendemos millones de cajas por año. Saquen la cuenta y verán que la reglamentación del gobierno nos cuesta a usted y a nosotros millones de dólares por año. También nos podría estar matando.

Mi amigo Ed Feulner, presidente de la Fundación Legado (Heritage Foundation), escribió que es posible que la legislación que exige el cierre —Ley de Empaquetado para la Prevención de Intoxicaciones— haya provocado más daño que beneficio. Ed escribió: "El motivo es simple, a muchos pacientes ancianos impedidos por diversas enfermedades y dolencias incapacitantes les resulta difícil abrir los frascos (de medicamentos). Por eso, no toman los medicamentos que necesitan". Un farmacéutico le comentó que algunos clientes ancianos habían probado con pinzas, martillos, destornilladores y abridores de lata manuales para abrir los frascos. Un hombre afirmó que zapatear sobre la botella funcionaba. Otra mujer dijo que su nieta de siete años podía abrir los frascos mientras que ella no podía. La ley podría haberse llamado "Ley de Prevención del Empaquetado Correcto" porque eso es lo que realmente es.

Esta es una ilustración maravillosa de la Ley de las Consecuencias Involuntarias. Las decisiones que toma el gobierno a veces tienen consecuencias indirectas imprevistas en el largo plazo. Al intentar erradicar cada mínimo peligro, los reguladores del gobierno salen de un problema y se meten en otro. Por ejemplo, los reguladores de seguridad insistieron en que la ropa de cama de los niños debería estar hecha con telas que retardaran las llamas, pero descubrieron después que los químicos usados para tratar las telas podían causar cáncer. Mientras escribo esto, se desarrolla un importante debate sobre las bolsas de aire (airbags) obligatorias por ley en los automóviles: se sabe que la fuerza explosiva ha matado a adultos pequeños, niños e incluso bebés no nacidos. Los burócratas pueden estar matándonos a nosotros y a nuestros hijos con su "bondad".

Lo que la reglamentación a veces no logra reconocer es que, por lo general, la gente puede cuidar sus propios intereses mejor que lo que un burócrata distante lo puede hacer y a un costo mucho menor. Estamos sobrecargando a la gente con costos y más costos, primero con impuestos para sustentar las enormes burocracias gubernamentales que administran estas miles de leyes, y luego con precios más altos, necesarios para sustentar todas las actividades no productivas que se requieren para cumplir con las leyes. Si los estadounidenses se enfrentaran con el verdadero precio de estas reglamentaciones, creo que la mayoría de los consumidores diría: "Olvídenlo. Correré mis riesgos". La reglamentación puede ser una forma particularmente malvada de aplicación de impuestos. El gobierno dice que es necesario para evitar que las empresas dañen a la gente. En realidad, evita que las empresas *ayuden* a la gente. A través de las reglamentaciones, las personas y empresas pueden estar cargadas con miles de reglas y reglamentaciones inútiles, que resultan típicamente en una reducción de la economía. A millones de personas se las sacó de trabajos productivos y generadores de riqueza para transformarlos en burócratas. Estos ejércitos de burócratas distraen la atención de los empresarios de su trabajo legítimo y necesario: brindar mejores productos y servicios a sus clientes a precios más bajos. Los empresarios pasan muchas, muchas horas inútiles todos los años llenando formularios, en una confrontación legal costosa e improductiva con las agencias gubernamentales.

Los estadounidenses han olvidado las sabias palabras de James Madison, que advirtió sobre los peligros de la excesiva reglamentación:

> Será poco beneficioso para la gente que las leyes
> sean hechas por hombres elegidos por ellos mismos si
> las leyes son tan voluminosas que no pueden leerse o
> tan incoherentes que resultan incomprensibles; si se las
> deroga o se las revisa antes de que sean promulgadas o
> atraviesan tantos cambios innecesarios que ningún

hombre —que sepa como es la ley hoy—, pueda
adivinar cómo será mañana.

¿Cómo se compara la carga reguladora con la carga impositiva? El Día de la Libertad Impositiva (Tax Freedom Day)— el día
en que el estadounidense promedio, si comienza el año trabajando únicamente para pagar impuestos, finalmente estaría libre
para disponer de su ganancia— es una manera de darse cuenta
cuánto se va de nuestra vida productiva en pagar impuestos. En
1902, el Día de la Libertad Impositiva caía el 31 de enero.
Veintitrés años después, la carga impositiva había avanzado
lentamente hasta el 6 de febrero. Luego vino la Gran Depresión
y con la depresión vinieron cientos de programas gubernamentales. En 1930, el Día de la Libertad Impositiva era el 13 de febrero
y en los quince años siguientes avanzó cada vez más en el año,
hasta que en 1945 los contribuyentes trabajaban para el Tío Sam
hasta el 1º de abril. Esto significa que la carga impositiva
prácticamente se duplicó en un período de quince años. Costó
otras tres décadas para que la fecha llegara a mayo, en 1974.
Durante la presidencia de Bush, el Día de Libertad Impositiva
sólo se movió un día, del 1º de mayo en 1980 al 2 de mayo en
1988. El presidente Clinton ha dirigido el cambio más importante en un período (en cualquier dirección) desde la presidencia de Johnson. En 1992 el Día de la Libertad Impositiva era el
30 de abril, mientras que en 1997 los estadounidenses no podían
trabajar para ellos mismos hasta el 9 de mayo.

Sin embargo, el Día de la Libertad Impositiva no llega a
calcular el total de la carga tributaria que el gobierno federal
deposita en los estadounidenses. Desde 1865, y especialmente
desde que Franklin D. Roosevelt asumió en 1933, las reglamentaciones federales han agotado la fuerza de los Estados Unidos;
así, obstaculizan el negocio y destruyen nuestra capacidad de
competir en el mercado mundial. La mejor estimación de la
carga reguladora federal que conozco es un estudio hecho por

Thomas Hopkins, del Instituto Rochester de Tecnología (Rochester Institute of Technology), que calculó que el costo de cumplir con la ley reguladora federal en 1995 fue de 668.000 millones de dólares. Las reglas federales le costaron a la familia estadounidense promedio 7.000 dólares en 1995, 1.000 dólares más que la liquidación de impuestos a las ganancias promedio. Así de malo como suena, el estudio de Hopkins es una subvaluación; sólo incluye los costos de cumplir con reglamentaciones para las que se hicieron estudios de costos. Se omite, por ejemplo, el costo de ajustarse a nuevas reglamentaciones. Si el cálculo hecho por Hopkins se agregara a la carga impositiva, los estadounidenses pasarían casi todo el año trabajando para el Tío Sam.

La reglamentación federal daña a los grandes empleadores, pero también a los pequeños negocios. Este es por supuesto, un tema que nos concierne especialmente en Amway. Por eso cuando los agentes se pusieron severos con los negocios hogareños de tejido en Vermont en 1979, yo presté mucha atención. El Departamento de Trabajo de los E.U.A., en ese entonces presidido por Ray Marshall, que había sido nombrado por Carter, envió agentes a varias casas de Vermont (estado del noreste de los E.U.A.), donde descubrieron a un grupo de mujeres que tejían sweaters, bufandas y gorros de esquí sin el beneficio de la protección sindical. Estas mujeres vendían los productos para obtener ganancias, lo que representaba una violación de algunas vagas cláusulas de la Ley de Estándares Laborales Justos (Fair Labor Standards Act). Estas reglamentaciones prohíben la elaboración casera de siete productos específicos, incluyendo prendas tejidas, que compiten con industrias sindicalizadas.

Finalmente ganaron las tejedoras, luego de que un nuevo Secretario de Trabajo designado por Reagan, abolió la regla, pero el caso muestra un problema más importante con las reglamentaciones. ¿Qué tiene de malo que un grupo de mujeres trabaje en sus hogares para producir algo útil y por qué el gobierno federal necesita prevenir esta clase de comportamiento productivo?

El grueso de la ley reguladora se ha transformado en una usurpación masiva de la soberanía de otras "esferas" de autoridad (para usar una vez más el término de Abraham Kuyper). Esto no es un problema nuevo. En 1840, Alexis de Tocqueville comparó la joven república estadounidense con el gobierno europeo, que se había expandido a los dominios de los individuos e instituciones privadas:

La autoridad del gobierno no solamente se ha expandido, como acabamos de ver, en la esfera de todos los poderes existentes, hasta que esa esfera ya no pueda contenerlo, sino que avanza e invade el campo de acción hasta ahora reservado a la independencia privada. Un sinnúmero de acciones que antes estaban por completo fuera del control de la administración pública están sometidas a ese control en nuestra época, y su número sigue creciendo constantemente.

Esto podría haberse escrito en 1998. Verdaderamente no hay nada nuevo bajo el sol. Pero Tocqueville continúa:

Es evidente que la mayoría de nuestros gobernantes no se contentan con gobernar a la gente colectivamente; parecería que se creyeran responsables de las acciones y las condiciones privadas de su gente, como si se hubieran comprometido a guiar e instruir a cada uno de ellos en los diversos incidentes de la vida y a proteger su felicidad, sin tener muy en cuenta su consentimiento. Por otro lado, los individuos crecen más y más propensos a ver el poder supremo de la misma manera; invocan su ayuda para todas las necesidades que tengan y fijan su mirada en el gobierno como si fuera su mentor o guía.

Las agencias reguladoras gubernamentales actúan como si los estadounidenses tuvieran en general la inteligencia de un mosquito. A veces, como destacó Tocqueville, los ciudadanos se lo buscan ellos mismos cuando se niegan a responsabilizarse por sus propias acciones. Sin embargo, con frecuencia las regulaciones parecen ser el resultado de una comisión desorganizada de incompetentes. Las decisiones de Washington las hacen hombres tan alejados del problema que ni siquiera saben cuál es la pregunta. Una sociedad sin planificación contiene mejor planeamiento porque la gente que toma decisiones está más cerca del problema.

Al final, las reglamentaciones pueden llevar a la destrucción de la cultura y de la sociedad. Luego de comentar los peligros de la innecesaria intervención gubernamental, Tocqueville escribió sobre su inquietud por el pueblo estadounidense: "No temo que se encuentren con tiranos entre sus gobernantes, sino con guardianes". Agregó que un gobierno liderado por estos hombres, "no destruye, pero evita la existencia; no tiraniza, sino que comprime, debilita, extingue y estupidiza a la gente, hasta que se los reduce a nada más que un rebaño de animales tímidos y laboriosos, con el gobierno como pastor".

Una base sólida

He sido bastante cuestionado a lo largo de los años por mezclar mi fe cristiana con mis ideas políticas y económicas conservadoras. Supongo que alguna gente piensa que es un crimen creer en una autoridad absoluta y luego dejar que ese pensamiento influya todas las áreas de su vida. Creo que lo que verdaderamente está en juego aquí es una desconfianza básica de los negocios basada en conceptos erróneos o verdades a medias. En 1985, el ensayista y editor Lewis Lapham escribió: "El talento del capitalismo consiste precisamente en su falta de moralidad. A menos que tenga dinero para tener su propio coro, un capitalista es una persona que, por definición, no puede darse el lujo de creer en otra cosa que no sea la doctrina del resultado final". En mi opinión, no podría estar más equivocado. Demasiada gente piensa que es una contradicción unir el mundo cristiano con el capitalista, pero creo que el capitalismo y la libre empresa funcionan mejor en el contexto de valores judeo-cristianos. Empresarios exitosos, aunque no sean devotos practicantes, saben que no pueden triunfar durante mucho tiempo mediante la deshonestidad, codicia, egoísmo y pereza. Eso es así porque Dios no diseñó este mundo para castigar a quienes siguieran Sus mandamientos. Existen beneficios reales y de este mundo para el comportamiento moral, además de una recompensa celestial.

Amway es una más dentro de un grupo de empresas que ha adoptado posturas morales aunque parecieran financieramente irracionales. Por ejemplo, nos comprometimos a cerrar por completo nuestras instalaciones los domingos, aunque muchos gurúes financieros nos dirían que necesitamos tener nuestras máquinas funcionando los siete días de la semana para usar mejor nuestro capital. Rich y yo nos aferramos a la idea de que Dios tuvo intención de que los humanos descansáramos un día a la semana y seríamos hipócritas si le pidiéramos a miles de empleados que trabajaran ese día. Además de darnos una oportunidad de rendir culto y de descansar lo necesario, el domingo nos da tiempo para estar con nuestras familias y amigos, algo que nuestras vidas ajetreadas no siempre nos permiten. Cerrar los domingos ha tenido sus costos, pero, en un sentido general, creemos que esa política nos ayudó. Seguir ideas tradicionales de moralidad tiene sus beneficios, tanto espirituales como materiales.

Rich y yo hemos predicado los principios de la libre empresa desde el comienzo porque creemos que ofrece al hombre la mejor oportunidad para ser lo que Dios quiso. Es sorprendente que no todos en Amway compartan esta visión. Una vez Rich se encontró con un distribuidor en Francia que se confesó comunista.

"¿Cómo puede estar en Amway si el sistema de libre empresa en el que está basado Amway pone énfasis en el individuo y la filosofía que usted profesa pone el énfasis en el estado?", preguntó Rich.

"Es fácil", contestó el francés, "necesito el dinero".

Me desconcertó que alguien que trabaja tanto, como nuestro distribuidor francés, pudiera defender un sistema que le saca riqueza a otros esforzados trabajadores y se la confía a los burócratas del estado. Pero ésa es otra más de las bendiciones de la libertad. Nuestro distribuidor francés es libre de creer en el comunismo, aún cuando se gane la vida basado en la fuerza del capitalismo.

Otro factor está en juego además del éxito material creciente que sabemos alcanzaría a todos en una sociedad libre. La libertad es un concepto ético. Si Amway se iba a manejar de manera ética, sabíamos que teníamos que enfatizar esos principios morales que conducen a una sociedad libre. Cada persona que gozó del éxito en Amway le debe ese éxito a Dios, lo hayan reconocido o no. Por la gracia de Dios tenemos libertad en esta gran nación y por Su gracia seguiremos teniéndola. Sólo una sociedad establecida sobre los sólidos principios morales de la Biblia será verdaderamente libre. Al mantener esta opinión nos consideramos en buena compañía; la sociedad estadounidense en sus comienzos estaba basada en esta misma idea. En 1797, George Washington dijo en su discurso de despedida: "De todas las disposiciones y hábitos que llevan a la prosperidad política, la religión y la moralidad son apoyos indispensables".

Sin la estabilidad de un consenso ético y moral cristiano, una sociedad libre puede transformarse fácilmente en una sociedad libertina. Si nuestro criterio acerca del bien es que nos haga sentir bien, entonces nuestra sociedad se hace hedonista y se destruye desde adentro. Una sociedad atea niega que Dios haya creado a la humanidad, niega que haya un propósito en la vida, niega la existencia de una recompensa final por el bien y un castigo por el mal, destruye el respeto por la vida humana y elimina la integridad moral. No obstante, el mundo en el que vivimos está perdiendo el consenso moral que mantiene unida a la sociedad humana.

Para mucha gente fue una sorpresa que Rich y yo, como empresarios cristianos, habláramos de la decadencia moral en las reuniones de distribuidores de Amway. En una sociedad que cada vez rechaza más cualquier cosa que parezca fe y moral tradicional, se nos criticaba duramente por el tono evangelista que tenían muchas reuniones de Amway. Es cierto que ningún negocio puede ser religioso en el sentido de que son los individuos los que pueden tener religiosidad, pero muchos distribuidores de Amway estuvieron de acuerdo en que no era inadecuado invitar a ministros de la fe y otros voceros religiosos a reuniones y otros eventos. Amway fue sujeto a muchas críticas y censuras por esta postura, pero Rich y yo veíamos que nuestra fe era inseparable de la manera en que manejábamos los negocios.

Sin embargo, a veces las reuniones comenzaban a perder su original énfasis en el negocio. En ocasiones, teníamos que contener a distribuidores que querían convertir lo que era una reunión de negocios en una cruzada religiosa, y a los distribuidores que insistían en usar las reuniones sólo para hacer alarde de su ropa fina y sus joyas. Se necesitaba un sentido de equilibrio. Un negocio le da a todos una oportunidad de vivir su llamado, sustentar a sus familias y contribuir a causas dignas. Pero, ante la ausencia de virtud cristiana, lograr riqueza no es nada más que una distracción de las cosas eternas.

A medida que Amway alcanzaba un perfil más alto, el énfasis en la libre empresa y el tono religioso tradicional de algunas de nuestras reuniones nos convirtió en blanco de estatistas, teólogos liberales y ateos. Periodistas liberales, columnistas, conductores de programas de charlas y cualquier otra persona que despreciara las ideas conservadoras dirigían sus críticas contra nosotros. No es que excluyéramos gente de Amway por sus ideas políticas o religiosas. Al igual que el distribuidor comunista francés que Rich conoció, toda clase de personas han encontrado el éxito a través de Amway. Pero, a juicio nuestro, el sistema Amway de negocios (y cualquier otro negocio) funciona mejor bajo un sistema moral de libre empresa. Los políticos izquierdistas querían cercenar el sistema de libre empresa, y los teólogos izquierdistas no comprendían cómo el capitalismo podía ser compasivo o moral.

En la década de los 70, logramos hacer grandes contribuciones a organizaciones conservadoras, al Partido Republicano y a algunas campañas políticas individuales, lo que fastidiaba muchísimo a los liberales. Pero nuestras contribuciones políticas y otras actividades eran simplemente una cuestión de supervivencia. El emprendedor independiente que opera en un sistema de libre empresa era una especie en peligro, y Rich y yo íbamos a pelear para protegerlo. A veces, esa pelea nos llevó a los niveles más altos de gobierno.

CAPITULO 16

¿Siempre republicano?

Cuando Ronald Reagan asumió en 1981, yo esperaba ver en los años siguientes, masivas reducciones de la carga reguladora. Lamentablemente, el Congreso logró sabotear muchos de los planes de la presidencia Reagan, y muchos conservadores no obtuvieron los resultados que esperaban. Hacia fines de 1982, todavía existían reglamentaciones en exceso; la mayoría de las industrias todavía tenían que llenar la misma cantidad de formularios y cumplir con la misma cantidad de reglas que antes. Al menos, las personas encargadas de los controles tenían una actitud distinta. Pero la industria todavía tenía que enfrentarse con la misma estructura básica de reglamentación.

Eso sí, la tasa de aumento de la carga reguladora disminuyó sustancialmente durante la presidencia de Reagan. En mis discursos para la Cámara de Comercio de los E.U.A., me di cuenta que durante la presidencia de Carter se emitían nuevas leyes de regulación todas las semanas, al ritmo de mil páginas por semana, o cincuenta mil páginas al año. Incluso los abogados, para quienes el negocio era conocer estas leyes, no podían ponerse al día. El gobierno de Reagan redujo todo esto a varias páginas por semana.

El gobierno de Reagan también hizo un buen trabajo transmitiendo las ideas conservadoras al pueblo estadounidense. El ciudadano promedio se aferró a estas ideas en 1980 y de nuevo en 1984, porque las veía como una solución para peligrosas políticas económicas. Aunque Reagan no logró superar el problema del déficit, le enseñó muy bien a la gente los peligros que representaba. Reagan carecía de las herramientas para superar el déficit, pero comprendió los peligros de manejar una economía endeudada. Si el Congreso hubiera estado de su lado, podríamos haber obtenido un presupuesto más reducido y equilibrado.

En 1984, al final del primer período de Reagan, los empresarios estadounidenses formaron 635.000 negocios nuevos, récord hasta el presente, lo que representaba un sorprendente aumento del 19% con respecto a 1980. Ese año, el Presidente Reagan dijo: "Nos espera una sociedad de oportunidades. Sólo necesitamos creer en nosotros mismos y darles a hombres y mujeres de fe, coraje y visión, la libertad para construirla". Esta filosofía contagiosa de "puede hacerse", hizo recordar a los estadounidenses todas las persuasiones políticas y el resultado fue un crecimiento fantástico.

Toda esta expansión no se limitó a los grupos de más altos ingresos, como sostenían los opositores de Reagan. En 1984, la recuperación producida por la inversión trajo la baja más pronunciada de la tasa anual de pobreza en once años. La Oficina del Censo (Bureau of the Census) informó que ese año había

1.800.000 estadounidenses menos *en* o *por debajo* de la línea de pobreza, prueba positiva de que las recetas de Reagan funcionaban. En un editorial, el periódico *Detroit News* informó que esta caída era "la mayor reivindicación de la tesis de Reagan, quien expresaba que es el crecimiento económico y no el gasto social lo que realmente combate la pobreza". ¿Y ustedes se preguntan por qué soy fanático de Ronald Reagan?

CONOCER AL PRESIDENTE

Rich y yo conocimos a Ronald Reagan durante su campaña presidencial de 1980. A medida que Reagan avanzaba en las elecciones internas, fue a Palm Springs para pedirle consejos al Presidente Ford. En el transcurso de la conversación, Ford nos mencionó a Rich y a mí y le dijo a Reagan que era importante que nos conociera. Por lo tanto, Bill Casey, que trabajaba en la campaña de Reagan para las internas de New Hampshire, llamó a John Gartland a la oficina de Amway en Washington D.C. John logró concertar una entrevista para que nos encontráramos con Reagan en su oficina de Los Ángeles.

Reagan inmediatamente nos impresionó a Rich y a mí. Luego de la década de los 70, que había producido daños en la economía y un nuevo descenso en el estado de ánimo, los estadounidenses necesitaban a un hombre como Reagan para reconstruir la confianza en su país. Hablamos con Reagan bastante tiempo y lo alentamos a que eligiera a George Bush como vicepresidente y Alexander Haig como Secretario de Estado, y por supuesto, así fue.

Luego de esta visita, Rich y yo decidimos orquestar una campaña independiente para expresar nuestro apoyo a la candidatura de Ronald Reagan. Por supuesto, no podíamos gastar dinero de la empresa ni emplear a nuestros distribuidores para apoyar su candidatura, pero hicimos lo que pudimos hacer. Pagamos avisos de nuestro bolsillo con nuestras fotos, y los publicamos en diarios de todo el país expresando nuestro apoyo a Reagan.

El Presidente Reagan y yo tuvimos ocasión de encontrarnos en el Salón Oval. El Salón Oval es sorprendentemente pequeño si se tiene en cuenta el rango de su ocupante, pero está lujosamente decorado para reflejar la historia colonial de los Estados Unidos y los gustos del presidente. En los años de gobierno de Reagan, el salón tenía nada más que algunos muebles— dos sillones enfrentados, separados por una mesa de café de caoba frente al enorme escritorio de madera maciza de Reagan. El escritorio tenía un aspecto pulcro y ordenado, lo que sugería que Reagan no pasaba mucho tiempo allí. Detrás del escritorio había estantes con fotos enmarcadas y recuerdos no muy distintos de los que podrían adornar la oficina del presidente de una empresa. Se veía el extenso césped de la Casa Blanca a través de grandes ventanales con vidrios a prueba de bala, enmarcados por pesadas cortinas verdes.

Recuerdo estar sentado con Reagan en los sillones del Salón Oval discutiendo técnicas de liderazgo. Un edecán nos sirvió café, dejándonos a solas para conversar. Reagan había tenido problemas en lograr que su personal le dijera toda la verdad, un problema que yo había enfrentado hacía muy poco tiempo. El presidente de los Estados Unidos y el de una gran corporación pueden enfrentar las mismas dificultades —ambos están acosados por personas que tratan de darles información que siempre está un poco inclinada hacia su visión personal. Cualquier persona con un puesto muy importante debe tener ayudantes buenos y confiables, pero es importante tener varias fuentes de información sean quienes fueran estos ayudantes. De otra manera, corremos el riesgo de encontrarnos aislados, sin la posibilidad de información confiable y uniforme. Esto nos hace susceptibles a la manipulación de aquellos que nos rodean. Siempre hay prejuicios presentes en la información; el truco es detectarlos antes que causen problemas. Entonces le conté a

Reagan sobre mi sistema de contar con tres fuentes de información no relacionadas entre sí. Cada fuente se compara con las otras dos para confirmar la información. Cada persona que me informa ve las cosas desde su perspectiva particular. Por lo general, tres fuentes de información son suficientes para tener un cuadro completo de la situación, y así poder tomar una decisión mucho más inteligente.

Apoyé a Reagan en una amplia mayoría de sus políticas, pero hubo ocasiones en las que tuve que enfrentarlo para evitar que cometiera un error. Aproximadamente en el tercer año de su gestión, fue convencido por alguno de sus colaboradores de que era necesario un aumento de impuestos para reducir el déficit. El entonces presidente de la Cámara de Comercio fue convocado a la Casa Blanca para discutir el tema, y salió apoyando el aumento de impuestos. En esa época, yo era presidente del Comité Ejecutivo de la Cámara y me negué rotundamente a apoyar el aumento de impuestos. Junto con Tom Donohue (mi íntimo amigo que actualmente preside la Cámara de Comercio de los E.U.A.) lideramos la oposición al aumento de impuestos en la junta de la Cámara. No pasó mucho tiempo para que Reagan me llamara desde el avión presidencial *(Air Force One)*. Durante cuarenta y cinco minutos repasamos una y otra vez el aumento; él trataba de convencerme de que era un mal necesario y yo trataba de persuadirlo de que intentara recortar más los gastos. Ninguno de los dos cambió de parecer. Creo que a Reagan le dolió pedir impuestos más altos, pero tenía que hacer lo que pensaba que era mejor para la economía en ese momento, y yo también.

¿EL FUTURO PRESIDENTE?

Los días de Reagan terminaron hace ya tiempo, pero a muchos estadounidenses les gustaría ver un renacimiento de los principios de gobierno limitado y responsabilidad monetaria. Sin embargo, ningún partido político importante parece capaz de presentar un candidato presidencial que apoye estos principios y que pueda comunicarlos eficazmente al pueblo estadounidense.

El candidato ideal debe defender con firmeza impuestos más bajos, menos gastos en programas gubernamentales innecesarios y comercio internacional más libre. Debe comprender la necesidad de reducir abruptamente las reglamentaciones y debe estar dispuesto a eliminar realmente agencias gubernamentales innecesarias e inconstitucionales. Debe ser un hombre con integridad, firme en temas morales, fiel a su esposa e hijos e inflexible en sus sólidos principios éticos. El candidato debe defender la libertad del individuo y la familia, y debe favorecer un regreso a las limitaciones constitucionales del poder y alcance del gobierno federal. Finalmente, cuando haya asumido su cargo, el presidente no deberá dudar de sus principios ni dar marcha atrás con sus promesas.

Si el candidato es correcto, no me importa mucho qué partido político lo apoya. Aunque he dado mucho para el Partido Republicano, soy leal a los principios, no a un partido político. Los partidos políticos van y vienen y sus plataformas son objeto de cambio sin aviso. Cuando entro al cuarto oscuro el día de la elección, veo enfrente de mí los nombres de los candidatos a puestos federaies, estatales y locales, cada uno con una clasificación —por lo general, Republicano o Demócrata. A veces las clasificaciones son útiles. Tienen el mismo propósito de una marca registrada. No obstante, en ocasiones las distinciones entre los partidos se hacen borrosas y la clasificación "Republicano" o "Demócrata" pierde su valor para el votante. Hay Republicanos que apoyan mayor gasto gubernamental y creen que deberían ser ellos los recaudadores de impuestos para el bienestar estatal, también hay algunos pocos Demócratas que creen verdaderamente en el gobierno limitado y en la libertad y crecimiento económico. Los dos partidos tienen claras tendencias en una u otra dirección, pero ninguno de los dos demuestra un compromiso uniforme con una clase de principios inalterables.

Quizás por esta razón el número de votantes estadounidenses que se considera "independiente" se ha incrementado firmemente a lo largo de mi vida. Cuanto menos importantes sean las distinciones entre los partidos, menos gente se preocupará por pertenecer (o votar) a un partido antes que a otro. Los dos partidos políticos más importantes ahora están ideológicamente desaliñados— muestran debilidades incluso en los puntos importantes de la plataforma partidaria y adoptan contradictoriamente las ideas y la retórica de la llamada oposición. Con opciones como éstas, no es sorprendente que más votantes hoy en día se nieguen a votar la lista completa de un partido y en lugar de eso elijan candidatos de ambos partidos mayoritarios e incluso de terceros partidos.

Dos filosofías políticas básicas compiten en el mundo actualmente. La primera es que el gobierno civil debería tener más poder y más control sobre nuestras vidas y nuestros bienes materiales; la segunda es que el gobierno debería tener menos de ese poder y control. En los Estados Unidos, deberíamos esperar que nuestros dos partidos políticos importantes reflejen esa distinción.

¿Cuál de los dos partidos políticos importantes mantendrá en el futuro una filosofía de impuestos bajos y estructura gubernamental chica? Puede parecer que el Partido Republicano está firme en esta postura, aunque recientemente algunos Republicanos destacados han adoptado la doctrina de aumentar impuestos y presupuestos gubernamentales y han apoyado algunos de los programas liberales del gobierno de Clinton. Y aunque los Demócratas actualmente están siguiendo la filosofía de una estructura gubernamental grande, se podría concebir al partido regresando a los principios de gobierno limitado e impuestos bajos de Thomas Jefferson, Andrew Jackson y Franklin D. Roosevelt, previos a 1932.

Si eso sucede, ustedes posiblemente presencien un milagro en cierto cuarto oscuro de Ada, Michigan.

CAPITULO 17

El empresario en su papel de ambientalista

Generalmente, el público nos ve a quienes hacemos negocios como intrínsecamente misántropos, derrochadores y egocéntricos. Ser considerados los villanos no es nada nuevo para los emprendedores. Siempre hemos tenido detractores. Pero ponernos como estereotipo de malvados explotadores del medio ambiente es injusto e ignorante. Algunos se niegan a escuchar nuestro punto de vista; con una actitud como si dijeran "no me molesten con los hechos".

Recuerdo que una vez enviamos a uno de nuestros químicos— un hombre con toda una vida de experiencia en química— a un encuentro relacionado con fosfatos en detergentes que se realizaba en Wisconsin. Durante su presentación una mujer muy exaltada le gritó desde el auditorio: "Pero no podemos creerle— ¡usted es un empresario!". Un especialista enviado por la Asociación de Jabones y Detergentes (Soap and Detergent Association) a una reunión en Suffolk Country, Nueva York, recibió un trato aún más duro. El condado estaba a punto de adoptar una ordenanza que prohibía la venta de todos los detergentes y se hicieron presente una cantidad importante de representantes de organizaciones dedicadas al medio ambiente y a los consumidores. El especialista recibió tal agresión verbal con palabras irreproducibles que prometió nunca más presentarse en ese tipo de reuniones para no tener que tolerar esos insultos.

Es fácil hacer acusaciones y suelen ser bastante destructivas. En las raras ocasiones en las que se nos da la oportunidad de defendernos de estas suposiciones vulgares, suele ser muy caro. En una oportunidad, un pequeño grupo de estudiantes universitarios publicó una lista del supuesto contenido de fosfatos en detergentes con la intención de disuadir a los consumidores de usar aquéllos que figuraban con alto contenido en fosfatos. La lista fue aceptada sin que la prensa la cuestionara y se imprimió literalmente en miles de publicaciones de los Estados Unidos y Canadá. Se abrió camino en revistas, boletines de organizaciones e incluso libros. Millones de personas que la vieron la tomaron como la verdad absoluta. Sin embargo, tenía tantos errores que si esa información la hubiera publicado un empresario, se lo podría multar e incluso enviar a la cárcel. La lista se mantuvo durante años— incluso mucho tiempo después que el grupo de estudiantes que había reunido la información errónea se hubiese dispersado.

El gobierno mismo también es culpable por difundir esa información errónea (quizás yo no debería sorprenderme tanto). La Comisión Federal de Calidad de Agua (Federal Water Quality Commission) una vez imprimió una lista del contenido de fosfatos de los detergentes y se la dio a la prensa. No puedo responder por los productos de otras compañías, pero los valores de cuatro sobre cinco de nuestros productos estaban totalmente incorrectos. Con todo, la única manera de responder a esta acusación falsa hecha por los mismos burócratas gubernamentales que sustentamos con nuestros impuestos, era publicar una corrección en avisos pagos en doscientos periódicos. Por supuesto, la credibilidad de un aviso pago es dudosa frente a una publicación del gobierno. Luego de un tiempo recibimos dos cartas de la agencia donde indirectamente admitían su error, pero no hubo ninguna corrección o disculpa pública. Si yo como empresario, hago afirmaciones falsas sobre mis competidores, me expongo a que me inicien juicio. Pero parece que los burócratas del gobierno pueden decir casi de todo y no ven afectada ni su responsabilidad ni el resultado en las urnas.

Muchas de las declaraciones apocalípticas de ecología surgen de quienes no creen verdaderamente que Dios rige el universo. Por supuesto, el hombre tiene la responsabilidad de administrar los recursos de la tierra con cuidado. Tendrá que seguir usando toda la capacidad mental agregada que tiene la raza humana para usar y reutilizar los recursos de la tierra para satisfacer sus necesidades. Incluso, tal vez, tenga que trabajar más esforzadamente para lograr los mismos resultados. Así como el hombre piensa que descubrió nuevas formas de entretenerse más y trabajar menos, probablemente tenga que trabajar más para extraer los recursos a fin de sustentar los nuevos y más eficientes sistemas.

Amway comenzó en 1959 con un producto —el Limpiador Orgánico Líquido (o LOC limpiador multipropósito. En inglés *Liquid Organic Concentrate*). Lo maravilloso del LOC es que fue líder en eliminar los impactos negativos de los limpiadores en el medio ambiente. Los más jóvenes no recordarán las enormes oleadas de espuma residual que solían aparecer en la superficie de ríos y arroyos como resultado de moléculas de detergentes de base dura o con cadenas ramificadas. No era extraño ver espuma acumulada afuera de nuestras casas, debajo de los grifos exteriores. Amway probablemente fue la primera empresa de cualquier dimensión en vender productos biodegradables. Cualquier producto que elaborábamos, que pudiera terminar en la superficie o en un curso de agua, tenía características biodegradables incorporadas. El LOC era además un limpiador sin fosfato, lo que ayudaba a mantener los lagos y arroyos libres de eutroficación, es decir, el sofocamiento de las superficies acuáticas por el crecimiento excesivo de algas.

A las principales elaboradoras de jabones les llevó casi diez años producir y vender detergentes similares sin fosfatos, y recién entonces varios estados aprobaron rigurosas leyes ambientales prohibiendo el uso de fosfatos.

Como Amway estaba adelantada a la industria en el desarrollo de limpiadores sin fosfatos, las leyes que se aprobaron exigiendo este tipo de productos no nos afectaron demasiado. Sin embargo, le prestamos mucha atención a la legislación. Las reglamentaciones ambientales se expanden rápidamente— las leyes que hoy no nos afectan fácilmente podrían arruinarnos mañana. Lo que presenciamos fue un proceso burocrático sin sentido que puede destruir empresas casi de la noche a la mañana y puede hacer más daño al medio ambiente que una industria no reglamentada.

Algunas empresas lograron producir limpiadores sin fosfatos, pero la única solución fue reemplazarlos por otros ingredientes que pueden ser más dañinos a la salud y al medio ambiente que los fosfatos. Por supuesto, los burócratas se concentraron solamente en la reducción de fosfatos y descuidaron analizar el daño al medio ambiente que podrían ocasionar los alternativos. Se tomaron acciones legislativas antes de que se conocieran todos los datos y la solución fue peor que el problema. La gente escuchaba historias de terror contadas por los medios de comunicación y no prestaban atención a la verdad. La gente estaba tan segura de que la industria del jabón se estaba enriqueciendo a costa de ellos que ignoraban a los científicos industriales. Se exigió acción inmediata.

Parece que la gente olvida que los mercados libres pueden y logran encontrar maneras de reducir la contaminación. De hecho, cuanto menos reconozca una nación a los libres mercados y a la propiedad privada, es más probable que tenga severos problemas de contaminación. Esto queda demostrado con la devastación del medio ambiente producida por los países de Europa del Este, luego de décadas de gobierno comunista. El Programa de las Naciones Unidas de Monitoreo Ambiental Global descubrió que la contaminación en esas naciones "es de las peores en la Tierra". El ochenta por ciento de los ríos, lagos y cursos de agua de la ex Alemania del Este están tan sucios que no se puede ni pescar ni nadar, mucho menos beber. La contaminación del aire en algunas ciudades de Europa del Este es tan alta que los automóviles tienen que usar las luces delanteras de día. La gente que afirma que la reglamentación del gobierno y la apropiación son las respuestas a los problemas ambientales, debería tener en cuenta el impuro final de estos países controlados por el gobierno.

Incluso en nuestro país, en cualquier lugar en el que no existan los derechos de la propiedad privada, la contaminación abunda. Ríos, playas, banquinas de rutas y muchos parques públicos, son lugares donde se arroja basura insalubre y de aspecto desagradable. Los lugares más limpios generalmente tienen dueño. Jardines privados bien mantenidos, por lo general abiertos al público, son un ejemplo excelente de los efectos limpiadores de la propiedad privada. Cerca de la casa de vacaciones de Franklin D. Roosevelt en Warm Springs, Georgia, están los hermosos Jardines Callaway, un paraíso natural repleto de plantas florecientes y distintas especies de animales. En Grand Rapids están los Jardines Frederick Meijer, que preservan una atractiva área verde en una zona densamente poblada.

Esta es la tierra de Dios, creada por Él como hogar temporario para la humanidad. Él se propuso que la usáramos y estamos creados de tal manera que debiéramos usar la tierra para sustentar nuestra existencia física. De allí debe provenir todo nuestro bienestar material— la mayor parte extraído con energía humana y capacidad intelectual. Pero derrocharla y destruirla sin necesidad es como arrojarle a Dios su regalo en la cara. Eso es exactamente lo que hace la planificación ambiental socialista. Como contrapartida, un sistema de política legal que le permita a la gente disfrutar los frutos de su labor y recibir la ganancia de su inversión en el medio ambiente, aprovechará al máximo nuestros recursos naturales y reducirá la contaminación innecesaria.

El hombre no es un intruso, un entrometido que perturba el equilibrio ecológico de la tierra. La tierra fue creada teniendo en cuenta todos los posibles usos que tendría para el hombre. Al hombre se le dio poder sobre los animales y Dios le dio el comando para llenar y mejorar la tierra. Esto no es ética cristiana anticuada— Dios nunca rescindió ese mandato. El hombre nunca fue una idea posterior en la creación divina. El mundo sin el hombre sería como una casa sin ocupantes. En la tierra, el hombre no rompe el orden natural de las cosas; él es el orden natural de las cosas.

Desde hace ya mucho tiempo, Rich y yo sentimos la obligación de trabajar tanto con la comunidad local como con la internacional para aumentar la calidad de la vida humana y mejorar el medio ambiente. Desde la primera botella de Líquido Orgánico Concentrado que Amway vendió en 1959, hemos buscado mantener una línea de productos que satisfaga al consumidor y tenga bajo impacto en el medio ambiente. Muchos de los productos que vendemos son concentrados, lo que reduce el empaquetado innecesario y también disminuye los costos de transporte y almacenamiento de Amway. Siempre deseamos ser buenos vecinos con quienes viven en la zona de Grand Rapids y, con esto en mente, nuestras fábricas y procesos están diseñados para minimizar el impacto en vertientes locales y en la atmósfera.

A medida que Amway maduraba como empresa y seguía creciendo en el ámbito internacional en la década de los 80, Rich, algunos gerentes y ejecutivos de la empresa y yo comenzamos a usar nuestra fuerza financiera para resaltar proyectos ambientales internacionales. El primer gran proyecto, que nos llevaría a trabajos relacionados con el medio ambiente en el futuro, fue una expedición al Polo Norte durante el año 1989, denominada Caminata en el Hielo (Icewalk).

El equipo de Caminata en el Hielo estaba conformado por ocho personas de siete países, liderados por el explorador Robert Swan, que recorrió quinientas millas a pie y en esquíes. Además de lograr su objetivo de ser el primer equipo que llegó caminando hasta el Polo Norte, los expedicionarios le dieron al mundo una oportunidad de dramatizar la importancia de preservar el prístino medio ambiente Ártico. Nosotros proveímos casi todos los fondos para la expedición, con lo cual Amway se ganó el respeto y admiración del mundo. Amway también patrocinó la Expedición Caminata en el Hielo de Estudiantes (Icewalk Student Expedition) compuesta por veintidós jóvenes de quince países distintos. Por los esfuerzos que realizamos para Caminata en el Hielo y los esfuerzos para concientizar a todo el mundo sobre temas ambientales, Amway recibió el prestigioso Premio Logro Ambiental del Programa Ambiental de las Naciones Unidas (en inglés UNEP) el Día Mundial del Medio Ambiente, en 1989.

El mismo día marcó la inauguración de Maestros del Ártico (Masters of the Artic) —exhibición de Arte al Servicio de la Tierra en la Asamblea General de las Naciones Unidas en Nueva York. Esta exhibición sin precedentes de arte inuit (esquimal), que promovió el respeto mundial por la cultura de los pueblos circumpolares, se transformó en la pieza central del programa de concienciación ambiental de Amway.

Nos involucramos en el arte del Ártico por medio de mi amigo Bill Nicholson. Bill estaba esquiando en Aspen, Colorado, y vio algunas esculturas inuit en los estantes de una galería de arte. El director de la galería le dijo a Bill que las Naciones Unidas estaban planeando una importante exhibición de arte inuit en Nueva York y necesitaban una empresa patrocinadora. Entonces Bill, bastante impresionado con la calidad y singularidad de las esculturas, habló con Casey Wondergem, nuestro director de asuntos públicos, y Casey se encontró con el Dr. Noel Brown, de las Naciones Unidas, en Nueva York. Luego de hablar con la ONU, Casey llamó a Stuart Silver, ex director de diseño del Museo Metropolitano de Arte de Nueva York, para pedirle que diseñara una exhibición de arte para la sede central de la ONU basándose en el tipo de piezas que Bill había visto en Aspen. En marzo de 1989 él y sus asociados comenzaron el proceso de crear una exhibición de arte de nivel mundial. Durante el proceso, buscamos más artistas circumpolares que contribuyeran con sus obras a expandir considerablemente la exhibición.

La galería de arte Maestros del Ártico se inauguró en el edificio de la Asamblea General de la ONU el Día Mundial del Medio Ambiente, el 5 de junio de 1989. La exhibición obtuvo una crítica tan favorable del público y de los funcionarios de la ONU que decidimos regalar la estructura de la galería a la Organización. Diseñada para ser portátil, la exhibición comenzó una gira por el mundo que continúa hasta el día de hoy. Convencieron al Dr. Cristopher Stephens que dejara su trabajo como encargado del Museo Yellowknife para ayudar a manejar la exhibición itinerante. Aunque la misma sigue bajo el auspicio del Programa de Medio Ambiente de las Naciones Unidas, ha sido desde 1990 el principal proyecto de la Fundación Amway para el Medio Ambiente (Amway Environmental Foundation), que se formó para promover y auspiciar proyectos educativos ambientales para adultos y niños de todo el mundo. Recibimos pedidos de todas partes para exhibir Maestros del Ártico. En los años siguientes, la exhibición viajó a Washington D.C. y a Dallas, y luego a Canadá, México, Japón, Brasil y Argentina. A lo largo del camino, la exhibición y Amway recibieron varios honores importantes por crear conciencia ambiental a través del arte indígena. Dos años después de ganar el Premio Logro Ambiental del UNEP, recibimos el Premio al Logro de Conservación Nacional de la Federación Nacional de Vida Salvaje de 1991 (National Wildlife Federation National Conservation Achievement Award) en la categoría liderazgo empresarial. En 1992 recibimos la Medalla Transpolar de la Organización Educativa, Científica y Cultural de las Naciones Unidas, el Certificado de Recomendación de la Tierra Unida y el Premio de la Alianza de Bosques Tropicales. En Río de Janeiro, la exhibición Maestros del Ártico fue la pieza central cultural de la Conferencia Cumbre de la Tierra de 1992. Para mí era irónico oír al Primer Ministro de Canadá decir cosas maravillosas sobre Amway en Río y en Toronto, y en el Museo de Civilización en Ottawa. Unos pocos años antes uno hubiera pensado, a partir de los comentarios de algunos políticos canadienses, que Amway había estado planeando derrocar al gobierno canadiense. Ahora, parece que el arte ha ayudado a cerrar las heridas entre ellos y Amway. Al demostrar nuestra gran consideración por los logros del pueblo inuit del norte de Canadá, engendramos el respeto de los canadienses y del resto del mundo.

La filantropía empresaria puede hacer una verdadera diferencia al apoyar a buenos artistas y educar a la gente sobre temas ambientales y la importancia de una sólida ciencia ambiental. Una vez más, la participación del gobierno es superflua e incluso, a veces, contraproducente. Lo que hace que el aporte de fondos privados sea mejor, es que viene sin los papeleos burocráticos y el desatino político que guían al arte y a la ciencia patrocinadas por el gobierno en la dirección equivocada.

Jay Van Andel, graduado de la escuela primaria, frente a su hogar en Grand Rapids, Michigan, 1937.

Su madre, Nella Van Andel, y su abuelo John Vander Woude con Jay en 1943 durante su primera licencia luego de ingresar al ejército.

El Teniente Jay Van Andel al graduarse de la Escuela de Cadetes de la Fuerza Aérea en la Universidad de Yale, en 1945.

(Todas las fotos de esta página son cortesía de la familia Van Andel).

Dueños orgullosos— Van Andel y
DeVos con uno de los aviones de su
escuela de aviación, en 1946.

A su apertura el 20
de mayo de 1947,
Riverside Drive Inn
fue el primero de
clase en Grand
Rapids y demostró
ser un exitoso
negocio adicional
negocio aéreo de
los jóvenes socios.

Leven anclas: Van Andel y De Vos en el invierno de 1949 en ruta en el
Mar Caribe a bordo de la goleta de 38 pies *Elizabeth*, que se hundió
en la costa de Cuba.

Rich De Vos y Jay Van Andel con el
salvavidas rescatado del
desafortunado *Elizabeth* a su regreso
de Sudamérica en julio de 1949.

*(Todas las fotos de esta doble página
son cortesía de la familia Van Andel)*

Las oficinas y salón de reuniones de la Corporación
Ja-Ri *(Cortesía de la familia Van Andel).*

Los exitosos emprendedores en las oficinas de la
Corporación Ja-Ri, la iniciativa que se transformaría en
Amway Corporation. *(Cortesía de la familia Van Andel).*

El casamiento de Betty Hoekstra y Jay Van Andel
el 16 de agosto de 1952, en la casa familiar de
Betty en Wealthy Street en Grand Rapids,
Michigan.
(Estudio Bultman).

Jay y Rich con distribuidores de Nutrilite/Ja-Ri en California en mayo de 1956.
(Cortesía de la familia Van Andel).

Sede cómoda: La estación de servicio remodelada en Ada, Michigan, que se convirtió en el primer edificio de Amway en octubre de 1960. *(Cortesía de Amway Corporation).*

El gran desastre: la planta de aerosol y todo su contenido, se destruyen en un incendio el 18 de julio de 1969. *(Cortesía de Amway Corporation).*

Jay y Betty Van Andel previo a la celebración del décimo aniversario de Amway Corporation en 1969 *(Cortesía de la familia Van Andel)* .

El Presidente Gerald Ford, Rich De Vos y Jay Van Andel en la Casa Blanca en 1975, discutiendo el desarrollo económico de Grand Rapids y el alcance internacional de Amway. *(Cortesía de Amway Corporation)*.

Navidad en Amway, 1980: Jay y Betty Van Andel con
Rich y Helen DeVos. *(Cortesía de Amway Corporation)*.

Jay Van Andel, General Alexander Haig y Rich DeVos en una
conferencia de prensa en 1981 con motivo de la apertura del
Museo Presidencial Gerald R.Ford y el Amway Grand Plaza Hotel.
(Cortesía de Amway Corporation).

Mstilav Rostropovich, director de la Orquesta Sinfónica Nacional, con Jay y Betty Van Andel en la gira por Europa patrocinada por Amway en febrero de 1982. *(Capital Press & Photo Services B.V.,* Países Bajos*)*.

Jay Van Andel, presidente de la Comisión del Bicentenario Holandés-Estadounidense (NABC) y su esposa Betty, reciben el saludo del Presidente Ronald Reagan en la recepción de la Casa Blanca en honor de la reina Beatriz de Holanda. *(Capital Press & Photo Services B.V.,* Países Bajos*)*

Recepción real en la casa del Vicepresidente George Bush en abril de 1982.
De izquierda a derecha: Vicepresidente George Bush, Príncipe Claus, Su
Majestad la Reina Beatriz, Betty Van Andel, el presidente de la NABC Jay Van
Andel y Barbara Bush.
(Capital Press & Photo Services B.V, Países Bajos*).*

Jay y Betty Van Andel, Príncipe Claus, congresal Guy VanderJagt y Su
Majestad la Reina Beatriz a bordo de un barco de la Guardia Costera
durante un viaje a Holland, Michigan, con la comitiva real en junio de
1982. *(Capital Press & Photo Services B.V.,* Países Bajos*).*

Imagen intacta: entrevista profunda con Mike Wallace, del programa *60 Minutes*,
de la cadena CBS, que salió al aire el 9 de enero de 1983.
(Cortesía de Amway Corporation).

Los co-fundadores de
Amway, Rich De Vos y Jay Van
Andel en 1986, en ocasión del vigésimo quinto aniversario de Amway.
(Retrato por David LaClaire).

Jay Van Andel sostiene el martillo oficial durante su jura como Encargado General de la Feria Mundial de Génova en 1989, con el Embajador Peter Secchia.

Dedicación del Van Andel Plaza en el Hope College de Grand Rapids, Michigan, en 1990. De izquierda a derecha: Rick Gaby y Barb (hija), Jay Van Andel, Betty Van Andel, Carol y Dave Van Andel (hijo) y Nan Van Andel (hija).

(Todas las fotos de esta doble página son cortesía de Amway Corporation)

Van Andel Arena en el
ntro de Grand Rapids,
dicado a Jay y Betty Van
del en septiembre de 1996.

nta de Políticas de Amway Corporation. *Sentados (de izquierda a derecha):* Richard M.
DeVos, co-fundador; Steve Van Andel, Presidente de la Junta; Richard M. DeVos Jr.,
Presidente; Jay Van Andel, co-fundador. *Parados (de izquierda a derecha):* Cheri
DeVos-Vander Weide, Vicepresidenta de Asuntos Corporativos; David Van Andel,
Vicepresidente *Senior* de Operaciones; Doug DeVos, Vicepresidente *Senior* y Director
ente de Amway E.U.A.; Nan Van Andel, Vicepresidenta de Catálogos y Comunicaciones;
 DeVos, Vicepresidente de Asuntos Corporativos; Barb Van Andel-Gaby, Vicepresidenta
de Asuntos Corporativos.

La Sede Mundial de Amway Corporation en Ada, Michigan.

(Todas las fotos de esta doble página son cortesía de Amway Corporation).

Actuales Presidente de Junta y
Presidente de Amway
Corporation— segunda
generación: Steve Van Andel y
Dick DeVos.

El Instituto Van Andel, que abrirá en noviembre de
1999. Todos los fondos son provistos por la
Fundación Jay y Betty Van Andel. El costo total del
edificio está estimado en 200 millones de dólares.

Eagles Nest, la residencia privada en Peter Island.

Jay y Betty Van Andel en los últimos tiempos descansando en White Bay, Peter Island.

(Las fotos de esta página son cortesía de Amway Corporation).

CAPITULO 18

El equipo hogareño

S i algo lamento de estos años que pasé construyendo Amway junto con Rich es que no pasé tanto tiempo con
mis hijos como hubiera querido. El negocio nos ha dado tanto
como nos ha quitado. Usualmente, yo me iba a trabajar a las
nueve de la mañana y no volvía hasta las seis de la tarde. Desde
las seis hasta la hora de cenar, Betty y yo estábamos juntos.
Después de cenar, yo volvía a trabajar. En consecuencia, durante
muchos de los años de crecimiento de mis hijos, yo estaba
físicamente ausente y le dejaba muchas responsabilidades a
Betty.

Es difícil alcanzar un buen equilibrio entre el trabajo y el

tiempo con la familia. A medida que observaba a otros empresarios luchar contra el mismo problema, llegué a la conclusión
de que es uno de los mayores y más comunes desafíos que debe
enfrentar quien se involucre en negocios. Para mí no fue menos
desafío que para el resto. Aunque el negocio necesitaba casi todo
mi tiempo al comienzo de su desarrollo, llegó un momento de
mi vida en el que podía disfrutar de más tiempo libre. El tiempo
es un recurso, como una máquina nueva o un empleado hábil.
Me resultaba difícil saber cuándo dedicar ese recurso al negocio
y cuándo comenzar a dedicarlo más a mi familia.

La cena nos proveía de un momento establecido en el que
podía estar con mis hijos. Era muy importante en el hogar Van
Andel que todos estuviéramos en casa para cenar. Cada comida
empezaba con oraciones familiares. Luego de leer la Biblia,
discutíamos sobre lo que significaba para nosotros y cómo se
aplicaba en nuestras vidas. Es sorprendente la cantidad de temas
que trata la Biblia y cómo puede hablarnos a nosotros, incluso
en esta sociedad moderna.

Luego de nuestra discusión sobre el pasaje de las Escrituras,
yo finalizaba con una oración. Probablemente mi familia sea el
público más numeroso que me oyó rezar. Para mí, la oración es
una conversación muy personal con Dios. Para el cristiano
sincero, es parte integral de la vida. Puede ser algo tan simple
como "Querido Padre, que este avión despegue con seguridad"
o algo más largo cuando nos enfrentamos a una crisis severa.
Nunca recé mucho en público; cuando oramos frente a otras
personas, existe la tentación de actuar para impresionar, de rezar
para la audiencia humana en vez de rezar para el Oyente celestial.
No obstante, cuando mis hijos me oían rezar, aprendían a
comunicarse con Dios y aprendían que incluso su padre necesitaba la fortaleza del Señor cada día. Aunque las tradiciones de
cada familia son distintas, yo sé que el hábito de rezar a diario
es parte de las familias de mis hijos.

Quizás lo más importante del desarrollo moral y ético de un

niño es el ejemplo impuesto por sus padres en la vida diaria. Cuando la vida hogareña no es agradable a Dios, es más que inútil tener una imagen de buen comportamiento para el mundo exterior.

Nuestras conversaciones alrededor de esa mesa eran gran parte de nuestra vida familiar juntos, y los temas iban desde los negocios hasta nuestra fe, y desde la política a la economía. Solían ser conversaciones simples, por lo general interrumpidas por alguna llamada telefónica o por algún hijo adolescente que salía corriendo hacia alguna reunión muy importante con sus amigos. Pero ese tiempo limitado lo usamos para cambiar la vida de nuestros hijos. Recién ahora, cuando observo con gran alegría las vidas de ellos cuatro, me doy cuenta de las bendiciones que Dios concede por el tiempo pasado juntos, como una familia alrededor de la mesa.

A veces, el comedor se transformaba en el aula de un postgrado de ciencias económicas. Conforme yo reflexionaba sobre las actividades del día, le presentaba a mi familia un problema económico y discutíamos sobre varias soluciones. Entonces, les decía a todos lo que realmente había hecho en ese caso y por qué. Esas discusiones ayudaron a que la transición fuera mucho más fácil cuando mis hijos y los hijos de Rich comenzaron a ocupar posiciones de liderazgo en Amway. Mediante lo que pasaba en mi casa y en la casa de Rich, nuestros ocho hijos comprendieron de qué se trataba el negocio y cómo manejarlo eficientemente y bien. Mi hijo Dave me dijo, no hace mucho, que aprendió más sobre los negocios alrededor de esa mesa que mediante cualquier otra fuente— clases de universidad y experiencia personal inclusive.

COMPARTIENDO

Como la mayoría de las familias, descubrimos que los viajes eran una manera genial de estar juntos. Como pueden adivinar, hicimos algunos viajes fabulosos: desde la Gran Barrera de Coral de Australia, a viajes de navegación en los ríos Amazonas y Colorado. Las clases de historia se hicieron vívidas cuando vimos el campo de batalla de Waterloo, anduvimos por la Vía Apia en Italia y caminamos en Filipinas por la playa donde el General Douglas MacArthur vadeó la costa en 1944.

A veces, las experiencias menos fastuosas eran las más memorables. Solíamos acampar en un lugar de nuestra propiedad en el norte de Michigan que tenía solamente un baño exterior. No era un baño común. Éste tenía un quemador que funcionaba a combustible que prácticamente quemaba todo lo que se le depositaba. Durante muchos años, funcionó bien. Sin embargo, un verano, casi a mediados de nuestras vacaciones, el baño comenzó a funcionar mal. Así que los chicos me lo comentaron a mí, el señor Arregla-Todo. Al día siguiente, decidí revisarlo justo antes de tener que ir a un compromiso con la Cámara de Comercio. Esto sucedió a principios de la década de los 70, y yo tenía puestos unos preciosos pantalones blancos de poliéster y una camisa blanca de poliéster. Pensé que no me tomaría más que uno o dos minutos arreglarlo, así que entré al baño y comencé a revisarlo. No me podía dar cuenta de qué era lo que andaba mal, así que me rendí, me di vuelta y le bajé la tapa.

Steve y Dave habían estado pescando y estaban sacando el bote del agua cuando sucedió lo impensable. En un quemador de ese tipo que funcionara correctamente, bajar la tapa enciende el combustible que quema la basura. Pero se había acumulado algo de gas y cuando bajé la tapa, explotó el baño. Steve y Dave escucharon una fuerte explosión y vieron que astillas, humo y todo lo demás salía volando a quince metros de altura. Luego vieron a su padre, que ahora tenía puestos unas bermudas blancas de poliéster y una camiseta blanca de poliéster, que salía tambaleando de lo que quedaba del baño. Tenía el cabello desparejo, las cejas quemadas y de mi espalda salía un poco de humo.

Betty salió corriendo de la casa rodante y, al no saber qué otra cosa hacer, me roció frenéticamente con Am-Medic, el aerosol antiséptico de Amway. A excepción de las cejas quemadas y un zumbido en los oídos, estaba bien, pero el verano siguiente compramos un calefactor eléctrico.

No obstante, la mayoría de nuestras vacaciones no estuvieron marcadas por calefactores que explotaban y pasamos momentos maravillosos juntos en familia. El impacto en mis hijos fue obvio— al mismo tiempo que disfrutaban de la vida al aire libre, aprendieron a apreciar la belleza de la creación de Dios y a cooperar con otros miembros de la familia en las varias actividades que emprendíamos juntos.

LA GUARDERIA DE LA SOCIEDAD

Muchos padres, en sus esfuerzos por cambiar nuestra sociedad para mejor, olvidan que la herramienta más poderosa para el cambio social es el hogar. No son las universidades, no es la ciencia, no es la tecnología, no son las artes y ni siquiera es el gobierno. ¡Miren a su propia casa, padres y madres!, si quieren mejorar la sociedad.

El gran predicador puritano Cotton Mather una vez exhortó a su congregación a que cuidaran a sus propias familias si deseaban ser útiles para la gente que los rodeaba. Mather decía: "Las familias son las guarderías de todas las sociedades".

Ninguna comisión de acción política, ningún partido político ni ningún presidente, tienen tanto poder para cambiar la sociedad como la institución de la familia. Una estructura familiar más fuerte significa una menor tasa de delitos, una "red de seguridad social" más eficaz para los individuos en crisis y una sociedad más virtuosa. Cuando dos padres (o, con más frecuencia en el mundo de hoy, un solo padre) crían a sus hijos para que hagan lo que está bien, contribuyen al bienestar de todos los demás. Ningún gobierno grande puede apreciar de verdad el valor de cada niño— sus puntos fuertes y débiles, sus talentos e inclinaciones naturales. Cada niño es un individuo único y requiere del amor y la sabiduría especial de un padre. Sé que así fue en nuestra casa. Cada hijo trajo desafíos nuevos y diferentes, y Betty y yo tuvimos que adaptarnos a cada uno de ellos.

LA PRECURSORA

Nan, nuestra hija mayor, fue la primera que empezó a trabajar en Amway. Comenzó en el poco atractivo departamento de auditoría interna y luego pasó a personal. Con el tiempo, Rich y yo decidimos montar un programa de capacitación gerencial para nuestros hijos, y Nan y Dick DeVos fueron, de cierta manera, los conejillos de Indias. Nuestra filosofía era dejarlos aprender a trabajar en la empresa antes que dejarlos trabajar en otra empresa primero. No los hicimos comenzar en puestos gerenciales; los chicos trabajaron en todos los sectores de Amway, haciendo toda clase de tareas. Nan estuvo en las líneas de jabón: cargaba las cintas transportadoras, llenaba las líneas de botellas y aprendía a tratar con gente en todos los niveles de la empresa. Yo quería que ella comprendiera lo importante que son en Amway cada tarea y cada persona. De esa manera, cuando ingresara a niveles gerenciales más altos, sería más eficaz como líder y comunicadora. Nan afirma: "Es bastante divertido trabajar allí. Lo lindo es que uno va a trabajar, cumple con su tarea y, al final del día, el trabajo queda atrás". Pero lo cierto es que Nan salió de esa fase de su capacitación para incorporarse al departamento de comunicaciones, que estaba en expansión, y en 1984 se convirtió en su vicepresidenta. Ahora está a cargo de todos los materiales impresos, audiovisuales y discursos de Amway, incluso nuestra revista mensual para los distribuidores de Estados Unidos, y el desarrollo de catálogos.

Nan siempre estuvo preocupada por la inclusión de las mujeres en el ambiente corporativo estadounidense y ha hablado elocuentemente y con frecuencia de temas femeninos. Las acciones de Nan son fieles a sus palabras: siempre se ha involucrado en esas actividades civiles que están dirigidas a "ayudar a que las mujeres alcancen independencia económica", como ella dice. Nan está involucrada con la Comunidad Esperanza (Hope Community), un refugio local para mujeres y familias en crisis y con Oportunidades de Grand Rapids para Mujeres (Grand Rapids Opportunities for Women), un programa que capacita a mujeres de ingresos bajos y medios para ser empresarias. Nan afirma: "Si se cree en algo, entonces es mejor vivir la propia vida de esa manera".

Nan también se mantiene ocupada trabajando con otros grupos locales y nacionales, incluso el Museo de Arte de Grand Rapids, el Foro de Mujeres Republicanas, la Cámara de Comercio del Estado de Michigan y la Sociedad Mensa Estadounidense, —una organización internacional para personas muy inteligentes. Siempre ha estado dispuesta a dar su tiempo a todas las organizaciones caritativas que pueda, y ayudó a recaudar fondos que ascienden a millones de dólares para organizaciones como *Easter Seals,* el Centro de Tratamiento de Abuso Sexual de la Asociación Cristiana de Mujeres (YWCA Sexual Abuse Treatment Center), *United Way* —organización que recauda dinero de trabajadores y lo reparte entre otras organizaciones de caridad— y Buena Voluntad (Goodwill). Nancy asegura: "Yo podría haber nacido en un barrio bajo de Calcuta o en un campo de Etiopía. Siento que la posición y la circunstancia en la que nací me obligan a ayudar a otra gente".

De su trabajo en Amway, Nancy dice: "Voy a seguir hasta que Dios quiera que yo siga aquí y mientras esté feliz. Me encanta lo que hago; no me imagino haciendo otra cosa. Creo mucho en lo que hacemos y en el por qué de ello".

UNA MENTE INDEPENDIENTE

Mi hijo mayor, Steve, que ahora es presidente de Amway, no siempre estuvo seguro de querer seguir los pasos de su padre. Steve atravesó un breve período de búsqueda durante el cual examinó todas las opciones disponibles. Luego de analizar durante un año o dos todas las posibilidades, Steve estuvo listo para trabajar en Amway. Ingresó al programa de capacitación gerencial que Rich y yo habíamos organizado y se comprometió profundamente con el desarrollo y éxito de la empresa.

Durante la adolescencia de Steve, nuestra relación atravesó momentos difíciles. Steve crecía y se convertía en un hombre, pero a veces necesitaba límites. Al igual que la mayoría de los adolescentes, Steve a veces ponía a prueba esos límites. Le llevó un tiempo crecer en responsabilidad y encontrar su lugar en la vida. Para mí, fue un ejercicio de obediencia a lo que expresa la Biblia: *"Corrige a tu hijo mientras haya esperanza, no pongas tu corazón en su destrucción."* (Proverbios 19; 18)

Fallar en "corregir" a un hijo, entonces, puede tener consecuencias terribles para él. Creo que la corrección que menciona la Biblia toma diferentes formas a medida que los hijos crecen. Cuando Steve tenía dieciséis años, un incidente en particular cambió nuestra relación y la manera en la que yo actuaba para capacitarlo y guiarlo. Yo lo había castigado durante dos semanas por alguna infracción a las reglas de la casa. Steve decidió que se lo había tratado de manera injusta y que no se iba a quedar encerrado en casa mientras sus amigos salían a divertirse. Por lo tanto, una noche sacó su automóvil y salió. No le dije nada, pero antes de irme a trabajar la mañana siguiente, saqué las llaves de su automóvil de la ...esa de la cocina y las guardé en mi bolsillo.

Steve se levantó unas horas después y buscó sus llaves. Finalmente comprendió qué había ocurrido. En un arranque de rebeldía, llamó a un amigo para que pasara a buscarlo, sin decirle a nadie adónde iba. Pasó esa noche en la casa de su amigo y volvió el día siguiente.

Betty y yo estábamos bastante preocupados. Betty no había visto que Steve se fuera y no teníamos idea de dónde podía estar. Cuando volvió, le di las llaves y le dije: "Mira, si vas a volver a salir y quedarte fuera, preferiría que tengas el control y que conduzcas. No voy a volver a castigarte. Sólo te pido que vengas y hables conmigo si quieres hacer algo o si tienes alguna pregunta. Ya eres grande para tomar tus decisiones, pero al menos dame la oportunidad de darte mi opinión".

Creo que en ese momento mi relación con Steve cambió. Ya no lo iba a tratar como a un niño. Estaba entrando en la adultez y tendría que asumir la responsabilidad de sus propias acciones. Yo no iba a regir sus movimientos como uno lo hace con un niño pequeño. Ahora mi rol sería el de consultor y consejero.

Steve realmente apreció esa postura y me lo dijo años después. No recomendaría esa estrategia para todos los hijos, pero con Steve funcionó. Reconoció que se lo estaba tratando como a un adulto y se esperaba que se comportara como tal. Cuando Steve terminó la universidad, había madurado muchísimo y su casamiento con Cindy, una joven maravillosa, completó el período de transición. Steve siguió mis pasos al asumir un puesto en la junta de la Cámara de Comercio de E.U.A. Steve y Cindy tienen el mismo aprecio por la comunidad de Grand Rapids como el que tenemos Betty y yo, y han continuado la tradición Van Andel de apoyar proyectos comunitarios importantes.

MI HIJO AL MANDO

Generalmente les di a mis hijos mucha libertad. Cada vez que veía que hacían mal uso de su libertad, intervenía y discutía con ellos sobre su comportamiento. Por lo general, no me acercaba a ellos con la idea de imponerles mi postura, pero sí les daba consejos y los alentaba para que reconsideraran su comportamiento si iba a causar problemas.

Creo que esta manera de hacer las cosas ha influenciado en la forma en que mis hijos trabajan como líderes en Amway actualmente. He observado que Dave usa la misma técnica: les da a las personas considerable rienda suelta y les dice: "Te doy libertad para hacer esta tarea como te parezca pero, al final del día, eres responsable de tus acciones. Si veo algo que es incompatible con nuestra manera de hacer negocios o si veo algo substancialmente erróneo, en ese momento intervendré". El micro-gerenciamiento del trabajo de un empleado tiende a producir la misma clase de resultado que resultaría de mirar constantemente por sobre el hombro de un adolescente para ver si está haciendo las cosas como se debe.

Por supuesto, dar a los hijos algo de libertad no es lo mismo que desinteresarse o no involucrarse en sus vidas. Dave y yo compartíamos varios intereses comunes que abrieron vías de comunicación entre nosotros. Uno de ellos eran los automóviles. Dave aprendió a conducir a los doce años. Estábamos a bordo de mi Jeep por unas rutas vecinales de Water Island, cuando me di vuelta y le dije a Dave: "Este es el momento de empezar a aprender".

La palanca de cambios era manual, pero Dave aprendió bastante rápido a manejarla, y al poco tiempo ya quería conducir todo el tiempo. Dave ama los automóviles buenos tanto como yo. Todavía recuerdo el primer automóvil realmente exótico que compré— era un Maserati Gibley usado, rojo con el interior negro. Lamentablemente, el dueño anterior lo había maltratado un poco, pero de todas maneras era un Maserati. A Dave le parecía genial y yo a veces lo llevaba a dar una vuelta. A medida que Dave crecía y yo expandía mi colección de automóviles, a veces lo dejaba sentarse al volante de un Lamborghini o un Maserati o inclusive un Ferrari, sólo por un rato.

He vendido parte de mi colección desde entonces, y Dave

creció y se puso "al volante" de varios intereses comunitarios además de su rol de liderazgo en Amway. Quizás lo más destacado sea que Dave está supervisando las operaciones y la construcción de un edificio para el Instituto Van Andel, que él preside. Como propietario de los *Grand Rapids Griffins* fue artífice de la llegada del hockey profesional al oeste de Michigan. Carol, su esposa, es igualmente activa en la comunidad— es miembro de la junta de la Ópera de Grand Rapids, preside la Fundación de la Escuela Cristiana de Ada (Ada Christian School Foundation) y es miembro activo de Escuelas Cristianas Internacionales (Christian Schools International) y *Pine Rest*.

MI ADORABLE HIJA

Me ha sido muy difícil con Barb en particular, por ser mi hija menor, abandonar el papel paternal. Todavía recuerdo tomar su manito para cruzar la calle y quizás todavía quiera aferrarme a la paternidad con Barb. El día más difícil de mi vida fue cuando Barb me soltó la mano y me dijo, antes de cruzar la calle: "Papá, ya soy grande y puedo hacerlo sola". Con esas palabras, supe que una preciosa parte de mi vida se iba para siempre.

En su adolescencia, Barb no fue perfecta, pero nunca atravesó ese período de rebelión total como algunos otros adolescentes. Barb, bendecida con una conciencia fuerte, era capaz de entregarse si hacía algo malo o de confesar "con miedo y temblando" si se la sorprendía en una mala conducta. Una vez, cuando tenía dieciséis años, nos dijo que iba a ver a una amiga, pero en lugar de eso se fue a Ann Arbor. Mientras ella estaba afuera, se desató la peor tormenta de nieve de la historia de Michigan. Era la tormenta de nieve de 1976 de la que todavía hoy alguna gente habla con veneración. Preocupada, Betty llamó a la casa de la amiga de Barb para estar segura que nuestra hija estaba a salvo. Barb era tan inocente que no había instruido a su amiga para que la cubriera.

Llegó varias horas más tarde, luego de haber conducido a través de la tormenta de nieve desde Ann Arbor. Una o dos veces se atascó en la nieve y se asustó muchísimo, no sólo por el castigo que le esperaba cuando llegara a casa, sino porque se había enfrentado a un verdadero riesgo a causa de su mentira. Barb confesó con docilidad y nos pidió que la perdonáramos. Me di cuenta de que su conciencia ya la había condenado y ella estaba arrepentida, por lo tanto Betty y yo no tuvimos que decir mucho.

Hace unos pocos años, Barb nos volvió a mencionar ese incidente y nos dijo cuánto había apreciado nuestra manera de manejar esa situación. Muchas veces, cuando nuestros hijos eran pequeños, Betty y yo cuestionábamos la sabiduría de las mil y una decisiones paternales que teníamos que tomar todos los días. Muchas veces desde que nuestros hijos abandonaron el nido, nos preguntamos acerca de nuestra estrategia paternal. ¿Hicimos todo lo que podríamos haber hecho? ¿Podríamos haber sido un poco más indulgentes? ¿Deberíamos haber sido más estrictos? Entonces, en el momento en que esas dudas se hacen más fuertes, uno de nuestros hijos vuelve y nos da alguna señal de su aprecio por nosotros.

Barb se tomó muy en serio el mandato bíblico de "honrar al padre y a la madre" y a medida que la salud de Betty y la mía declinaban, ha mostrado gran cuidado y gran preocupación por nosotros. Nunca ha perdido el respeto filial por sus padres, y ha sufrido para encontrar nuevas maneras de manifestarlo. Recientemente, Barb escribió homenajes para Betty y para mí, en los que nos dice abiertamente cuánto nos quiere y nos admira. Ese tributo es algo que nunca voy a poder olvidar.

Más preciado aún fue el homenaje de Barb a su madre. El mal de Alzheimer de Betty había progresado tanto hasta ese momento que yo dudaba que entendiera algo de lo que se le estaba leyendo. A esa altura, Betty ya no nos reconocía ni a mí ni a los chicos y para mí era muy triste pensar que no recibiría ni reconocería ese tributo. Así, conforme nos reuníamos en la sala de estar de nuestro hogar ese día, la querida Barb le dijo a su madre con palabras bellas e intensas que había sido una bendición para todos sus hijos y un modelo de fervorosa maternidad cristiana.

Entonces pasó algo maravilloso y extraño. Betty miró fijo a Barb y le dijo: "Mi adorable hija". Sólo por un momento, Dios le había hecho comprender a Betty el regalo de Barb, y le había dado palabras para expresarle su gratitud. A Barb la superó la emoción y yo me quedé sin palabras. Barb había sido muy dura consigo misma por no haberle dado este homenaje a su madre antes, cuando su enfermedad todavía no era tan grave, por lo tanto, ése fue un momento significativo y precioso para ella.

Al igual que mis otros tres hijos, Barb ha encontrado varias maneras de servir a su comunidad y a su nación, incluyendo la junta nacional del Centro de Investigación de Capital (Capital Research Center) de Washington. Recientemente, se unió a mí en la junta de la Fundación Legado (Heritage Foundation), donde me enorgullece verla trabajar para promover los ideales que hicieron grande a este país. Barb conoció a su marido, Rick Gaby, en la Universidad de Indiana, donde obtuvo su postgrado en economía.

UNA NUEVA GENERACION DE LIDERES

Ser hijo o hija del co-fundador de una gran empresa no es fácil. Mis hijos tuvieron que enfrentar presiones y conflictos que yo nunca viví. Al crecer trabajando en Amway, se los escrutinó mucho más de cerca que a cualquiera de los otros empleados. En puestos gerenciales en Amway, mis hijos y también los de Rich, han tenido que trabajar el doble que cualquier otra persona y generalmente no se reconocen sus méritos. Si tienen éxito como gerentes y el negocio crece, la gente dirá: "Bueno, les entregaron el negocio en bandeja de plata". Si el negocio no progresa bajo su liderazgo, la gente dirá: "Mira, destruyeron el buen negocio que habían construido sus padres". Los chicos también tuvieron que enfrentar incesantes cuestionamientos y dudas: "¿Están aquí por quién es el padre o porque están capacitados para el trabajo?". Por supuesto, es muy probable que ellos no estarían en Amway si no fuera por mi presencia allí. Pero eso no resta nada a sus capacidades gerenciales. Cada uno de mis hijos y los de Rich, están muy capacitados para cumplir con su trabajo en nuestra empresa, como demuestra el continuo éxito de Amway con ellos liderando la junta de políticas. Amway está en manos extremadamente capaces ahora que Steve preside la junta y Dick DeVos es el presidente.

Cuando mis hijos y los de Rich ingresaron al sector gerencial de Amway, Rich y yo tuvimos que lidiar con la presión de balancear la equidad fraternal con las inquietudes comerciales. Hacía varios años que nuestros ocho hijos trabajaban en Amway construyendo sus carreras, cuando Rich me alertó sobre la necesidad de que diéramos algunos pasos para traspasar el control del negocio a ellos. La capacitación gerencial no fue suficiente. Desde que Amway existía, Rich y yo habíamos tomado las decisiones importantes, mientras que los chicos habían estado algo aislados. Ahora era el momento de dejarlos entrar en acción. Los chicos necesitaban más información sobre las finanzas del negocio y necesitaban aprender cómo trabajar juntos para crear políticas.

El primer paso que dimos fue crear lo que llamamos el consejo de políticas. Nuestros ocho hijos se reunían todos los meses con dos personas ajenas a la empresa que los capacitaban para tomar decisiones en grupo. Los chicos se turnaban para presidir el consejo de políticas así todos adquirían experiencia en liderazgo. La agenda de cada reunión no era tan importante como el proceso de llegar a un consenso. El objetivo no era que en lo inmediato los chicos tomaran decisiones importantes, sino llevarlos a un punto en el que pudieran resolver eficaz y rápidamente problemas que se les presentaran.

Con el tiempo, Rich y yo comenzamos a asistir a estas reuniones mensuales. Les dábamos información financiera detallada, y ellos opinaban sobre el manejo del negocio. Los encuentros pasaron de ser grupos esencialmente de discusión práctica, a ser importantes sesiones de formación de políticas.

Vimos claramente la importancia de transferir el liderazgo serenamente a la segunda generación cuando, en julio de 1992, Rich sufrió una parálisis leve. A los cuatro días Rich ya estaba de vuelta en su hogar y se recuperó por completo, pero su enfermedad recalcó la necesidad de darles a nuestros hijos más control sobre Amway. Mientras Rich se recuperaba, disolvimos el consejo de políticas y agregamos a nuestros hijos a una nueva junta de políticas, en la que estábamos incluidos Rich y yo. Esto significaba que ellos estarían más involucrados en la operación diaria del negocio y serían cada vez más responsables por su éxito o su fracaso.

Rich y yo sabíamos que, algún día, nuestra asociación llegaría al final, pero ninguno de los dos quería admitir que ese momento había llegado. A pesar que nuestra sociedad ya era sólida a finales de la década de los 40, cuando manejábamos *Wolverine Air Service* o cuando tratamos de navegar por el Caribe, esa sociedad se recubrió de cemento a través de décadas de penurias y triunfos, de aflicción y prosperidad. Pero ahora era momento de abrir el camino para una nueva generación.

Comenzamos a preparar los fundamentos para la renuncia de Rich. Por recomendación de Rich y de común acuerdo, decidimos que Dick, su hijo mayor, lo sucedería como presidente.

El día 6 de diciembre de 1992, a la mañana temprano, Rich tuvo un grave ataque al corazón en su casa de Ada. A los seis días sobrellevó un triple *bypass* y se recuperó a tiempo para volver a su casa en Navidad. Mientras estaba internado en la Clínica Cleveland recuperándose de la operación, tuve algunas largas conversaciones con él. Los primeros días estaba apaciguado, bastante lejos de su efervescencia normal. Ver de frente a la propia mortalidad debe ser un duro golpe para cualquiera. Con calma y con serenidad, conversamos sobre nuestra fe en Dios, sobre la familia y los amigos, sobre los buenos viejos tiempos y sobre el futuro.

El día antes de salir de la clínica, Rich hizo pública su renuncia. En vista de lo sucedido, los preparativos que habíamos hecho para el acceso de Dick a la presidencia habían estado bien calculados. En la época en la que Rich se enfermó, Dick ya estaba familiarizado con el papel que iba a ocupar. Rich y yo habíamos puesto la transición en marcha desde mucho tiempo antes, y era nada más cuestión de hacerlo público.

Yo sabía que era el momento de considerar mi alejamiento de la presidencia de la junta. A través de las reuniones de la junta de políticas, había visto que todos mis hijos eran verdaderamente capaces de liderar una empresa. Pero Rich y yo podíamos elegir un solo presidente de la junta y me quedó a mí la tarea de recomendar quién podía ser.

No me gustaba tener que elegir entre mis hijos al presidente de la junta, pero había que hacerlo. Durante años, mientras crecían, traté de ser extremadamente justo con ellos. Ahora, aunque quería evitar el favoritismo a toda costa, no podía ser justo. Uno solo de mis hijos podría sucederme en mi cargo, los otros tendrían vicepresidencias. Para mí era una tarea tan molesta que incluso traté de que mi amigo Bill Nicholson tomara la decisión por mí. No obstante, se negó diciendo que debía ser mi decisión, y de nadie más. Durante meses la elección me torturó, rezando por ella, considerando cada aspecto desde todos los ángulos posibles.

Finalmente elegí a mi hijo Steve, y no nos ha decepcionado en absoluto. Steve no es una fiel copia mía— nunca tuvo la necesidad de adaptar su enfoque de gerenciamiento al mío. Tiene su propio estilo y sus propios métodos y parece que funcionan bien en combinación con el presidente de Amway,

Dick DeVos. En el manejo diario del equipo de gerentes, Steve es un trabajador arduo y un excelente constructor de coaliciones. Con el apoyo de gente que lo quiere y confía en él, Steve puede hacer que pasen cosas interesantes en Amway.

CAPITULO 19

Primer amor

P uedo compartir un pequeño secreto con ustedes? Aunque creo en los beneficios que tienen los productos de Nutrilite para la salud, y los consumo todos los días, no es por eso que les tengo tanto cariño. La verdadera razón por la que me gusta Nutrilite es porque me permitió conocer a Betty.

Mi tía, una clienta de Nutrilite, era ama de llaves de la familia Hoekstra de Grand Rapids. Me sugirió que los Hoekstra podrían estar interesados en comprar productos de Nutrilite, así que visité a la señora Hoekstra una mañana de primavera de 1951. En la puerta me recibió su hermosa hija Betty, rubia y de ojos celestes. ¡De pronto la venta de Nutrilite se convirtió en una razón secundaria para mi visita! Es probable que hasta haya arruinado mi presentación, pero la señora Hoekstra decidió comprar una caja de productos Nutrilite de todas maneras.

Mi próxima misión, mucho más importante que otra venta de productos Nutrilite, era conseguir una cita con la señorita Betty Jean Hoekstra. Afortunadamente, aceptó.

Betty y yo hicimos algunas citas por unos pocos meses hasta que me di cuenta de que había encontrado a la mujer con la que quería compartir el resto de mi vida. Tenía la misma disposición dulce y la amabilidad de corazón que caracterizaba a mi madre, y una fe profunda y sincera que me inspiraba a buscar una relación más cercana con Dios. Estaba convencido de que nadie sería mejor compañera de mi vida que Betty. Ella aceptó gratamente mi propuesta y, a las dos de la tarde del 16 de agosto de 1952, nos casamos en el hogar de los Hoekstra en Grand Rapids. Me tomé en serio el versículo del libro de los Proverbios que dice: "Aquel que encuentra una esposa encuentra algo bueno y es favorecido por el Señor". Betty y yo teníamos personalidades perfectamente compatibles. Como creo tanto en la soberanía de Dios sobre nuestras vidas, sé que Él nos preparó al uno para el otro y nos unió. Él sabía que solamente juntos seríamos verdaderamente felices y estaríamos completos. Únicamente en equipo se iba a lograr Su voluntad en nuestras vidas.

Betty se merece gran parte del crédito de mi éxito profesional. Cuando nuestra sala de estar se transformó en salón de reuniones de Nutrilite, y más adelante de Amway, su don de hospitalidad se manifestó. Tenía la extraordinaria capacidad de hacer sentir cómoda a la gente en situaciones sociales y se sentía bien en el rol de coordinadora social del hogar y anfitriona.

Ciertas etapas del crecimiento del negocio me alejaron de Betty y de los niños mucho más de lo que yo hubiera querido. Ahora miro hacia atrás y veo cuáles eran mis prioridades en esa época y cuáles son ahora. No creo que nadie pueda mirar hacia atrás y decir en su madurez: "Realmente, pasé demasiado tiempo con mi familia. Debería haber estado más en la oficina o haber viajado más". A quienes estén leyendo este libro y todavía sean jóvenes, les ofrezco esta humilde advertencia con todo el sentimiento que puede reunir este corazón holandés. Estén con su familia mientras sean jóvenes. Cuando sean viejos el tiempo no les va a alcanzar.

Al asumir responsabilidades dentro y fuera del hogar, Betty alivió mi carga y me permitió realizar el trabajo que hice en Amway. Ella hizo muchos sacrificios y trabajó tanto como yo, con menos reconocimiento público del que yo recibí. A los ojos de Dios, su trabajo como esposa, madre, anfitriona y líder de la comunidad tiene la misma importancia que el mío, ya que creo que trabajamos no para las recompensas de los hombres sino para alabanza del cielo. Este bello extracto de la Biblia describe a la mujer con la que me casé:

¿Quién hallará una mujer virtuosa?
Ya que su precio es mayor que el de los rubíes.
El corazón de su marido confía seguro en ella;
así él nunca carecerá de ganancias.
Ella le hará el bien y nunca el mal,
todos los días de su vida.
[...] Ella es como la nave de un mercader,
ella trae de lejos el sustento.
Ella también se levanta antes que amanezca,
y provee el alimento a su familia,
y una porción a sus criadas.
Puso la mira en unas tierras, y las compró:
con su ganancia plantó una viña.
[...] Ella extiende sus manos a los pobres.
Sí, ella alcanza con sus manos a los necesitados.
[...] La fortaleza y el honor son sus vestiduras;
ella se regocija en el tiempo que vendrá.
Abre su boca con sabiduría,

y en su lengua reside la ley de la benevolencia.
Ella vela sobre los asuntos de su familia;
y no come el pan de la ociosidad.
Sus hijos se levantaron y la llamaron bendecida,
también su marido, y la alaba.
Muchas hijas han hecho el bien,
mas sobre todas te has distinguido.
El encanto es engañoso y la belleza es pasajera,
pero la mujer que teme al Señor será alabada.
Dadle del fruto de sus manos,
y permitid que sus obras sean celebradas en el
    pórtico.

(*LIBRO DE LOS PROVERBIOS, 31*)

Mientras me ausentaba con frecuencia debido a mis actividades relativas a Amway, Betty siempre estaba con nuestros hijos. Ella era la fuerza estabilizadora en el hogar cada vez que yo no estaba. Cuando los niños llegaban del colegio, gritaban ¡Mami!, no necesariamente porque quisieran verla, sino porque los reconfortaba saber que ella estaba. Betty siempre respondía: "¡Sí, aquí estoy!"

A medida que los niños crecían, Betty comenzó a dirigir sus energías fuera del hogar. En el ámbito local, Betty se involucró con la Ópera de Grand Rapids y logró involucrarme a mí también. La ópera está ahora en el año de su treinta y un aniversario, en parte gracias al trabajo de mi mujer en su beneficio. Betty, que tenía un gran corazón para los niños, también estaba detrás del Centro Van Andel para Niños y Adolescentes en el Hospital Cristiano Pine Rest en Grand Rapids. En el ámbito nacional, Betty estaba involucrada con el Foro Eagle de Phyllis Schlafly, una organización política conservadora.

Betty nunca tuvo miedo de decir lo que pensaba. Ella había meditado sobre muchos temas y tenía claro en qué creía. Todos los que la conocían estaban extremadamente impresionados por su profunda fe en Dios— la gente remarcaba que no podían hablar cinco minutos con Betty sin que el tema de conversación no se desviara hacia la religión. Esa fe, que se infiltraba y moldeaba cada aspecto de su vida, para ella era la base de la vida. Barb remarcó recientemente que recuerda despertarse por las mañanas y mirar hacia abajo por las escaleras y ver a su madre sentada en su silla favorita, con la Biblia sobre la falda y las manos cerradas rezando.

EN LA SALUD Y EN LA ENFERMEDAD

En 1988, comencé a darme cuenta de que Betty tenía problemas para recordar cosas. Al principio, era un lapsus de memoria ocasional— una billetera dejada en otro lugar, llaves perdidas, un número de teléfono olvidado. Luego los lapsus de memoria se hicieron más frecuentes y Betty comenzó a olvidar cosas que ninguna persona normal se olvida. Se confundía fácilmente y tenía dificultad para hacer tareas simples. Para mí era duro aceptar el hecho de que estaba seriamente enferma.

Entonces, mis hijos comenzaron a enfrentarme por este tema. Cada uno de ellos estaba seriamente preocupado, por supuesto, pero Barb tomó la iniciativa de persuadirme que Betty necesitaba mejor atención médica. Tenía que lograr que yo superara mi sospecha profundamente arraigada sobre la comunidad médica y que recordara que el bienestar de Betty era más importante que mi privacidad. Barb y Dave me ayudaron a buscar un doctor en Carolina del Sur que había hecho trabajos avanzados en casos como el de Betty y comenzó a trabajar con ella con regularidad.

Los dos años siguientes vieron a Betty venirse abajo. Pasó de tener una persona que la ayudaba con algunas tareas durante el día a tener atención médica las veinticuatro horas. Yo trabajaba con ella para preservar su memoria, la llevaba a sus lugares favoritos, le mostraba fotos, ponía su música favorita. A veces parecía que mejoraba, pero esos momentos no duraban más que algunos días. Dios puede tomar los males más penosos de nuestras vidas y usarlos para Sus buenos propósitos. Cuando la Betty que yo conocía se había alejado de mí a través del decaimiento mental, y mi propia salud se había desmejorado, Dios trajo de vuelta a mis hijos a mi vida de una manera maravillosa. Mi relación con ellos se ha fortalecido, ya que ellos y yo hemos madurado. La enfermedad de Betty me obligó a recurrir a ellos en busca de apoyo y creo que ellos se acercaron a mí y juntos suplimos las necesidades de Betty. Ahora más que nunca antes, atesoro a mis hijos, porque son la herencia viva de Betty, el fruto de sus mejores años.

Para mí, era muy difícil ver cómo se cerraba esa cortina en la mente de Betty. Tomé la decisión de mantener nuestras pequeñas rutinas y preservar su mundo todo lo posible. White Bay, en Peter Island, es uno de mis lugares favoritos. Una frondosa vegetación tropical forma cascadas desde las colinas que rodean la estrecha playa blanca. Llevo a Betty a esa playa y dentro del agua, donde puede quedarse parada y caminar con mi ayuda. El agua es muy tranquila, ya que los arrecifes de la entrada de la bahía refugian la playa de la fuerza de las oleadas oceánicas. A veces estamos allí una hora o más, caminando de aquí para allá, hasta que ella se cansa y está lista para regresar a su silla playera. Es un buen ejercicio físico para los dos y las experiencias variadas son buenas para la mente de Betty. La recompensa más gratificante para mí es que Betty me bendice con una de sus sonrisas, que aún en su enfermedad no se han desvanecido. Me quedo con Betty todo el tiempo que puedo, haciéndole compañía. No le escatimo tiempo— para mí es una alegría devolverle algo por todas las concesiones que hizo durante los años en los que construíamos Amway. Si los votos matrimoniales se mantuvieran solamente mientras los actos de servicio puedan ser correspondidos, entonces el matrimonio no significaría mucho. Mi crianza y mi fe me alientan a pensar que el matrimonio es un vínculo sagrado entre un hombre y una mujer, quebrado sólo por una violación extrema de confianza.

Debido a mis problemas físicos, me ha resultado doblemente difícil lidiar con la enfermedad de Betty. Mi amigo Dan Vos, nuestro contratista de construcciones, vino a visitarme hace poco, simplemente para hablar de los viejos tiempos y para ponernos al día; hacía bastante tiempo que no lo veía. Ahora tiene dos audífonos y, entre sus problemas de audición y mi dificultad para hablar, es maravilloso que hayamos podido comunicarnos. Pero acercamos nuestras sillas y conversamos seriamente por un rato sobre el envejecimiento— nuestra salud, el estado de Betty y los problemas cardíacos de Rich.

Aún cuando Betty está tan débil como cambiada, Dios me ha dado un amor más profundo por ella. Dan demostró su empatía conmigo, recordando su relación con su primera esposa, Ruth, que había muerto trágicamente de un tumor cerebral en 1967. Dan dijo: "Es un amor que no podemos explicar, ¿no? Es algo que crece a pesar de enfermedades, debilidad o edad". Dan tenía razón. Betty es más preciada para mí ahora que antes. En una sociedad alcanzada por visiones retorcidas del matrimonio y del amor, la fidelidad tradicional puede parecer anticuada o inútil. Pero el amor eterno y abnegado que Betty y yo hemos compartido nos ha hecho personas más felices y más completas y ha reflejado el trabajo continuo de Dios en nuestras vidas. Durante muchos años, mientras Rich y yo construíamos Amway, Betty sacrificó de buena gana mucho por mí. Ahora que ella está débil, tengo una oportunidad de amarla y servirla en recompensa. La fidelidad da resultados.

Dan y yo hablamos de todas estas cosas y rezamos juntos brevemente. Él me alentó mucho y me dio muchos consejos sabios, provenientes de alguien que salió de las dificultades con una fe aún más profunda y fuerte. Le pregunté cómo había superado la muerte de su mujer. Me contestó: "Jesucristo ha estado allí antes que nosotros. Recibí fortaleza mucho antes de necesitarla. Y cuando llegue ese momento tú también podrás afrontarlo".

Alrededor de la época en la que Betty comenzó a tener los primeros síntomas del mal de Alzheimer, comencé a percibir una ligera pérdida de destreza manual. Durante un año o un poco más, no tuvo un efecto perceptible en mi vida. Betty hizo una o dos veces un comentario sobre eso, pero ninguno de los dos le prestó mucha atención. En el verano de 1988 me di cuenta de que, definitivamente, algo no estaba bien y los exámenes subsiguientes confirmaron que estaba en las primeras etapas del mal de Parkinson.

Vamos por la vida sin pensar en nuestras capacidades físicas— nuestros cerebros ordenan a nuestros cuerpos que realicen diversas tareas y nuestros cuerpos cumplen obedientemente. Cuando las líneas de comunicación dejan de trabajar correctamente puede ser una seria desventaja. Lo que comenzó como una reducción de la destreza manual al poco tiempo se extendió a dificultades para hablar; por lo tanto, reduje enormemente los compromisos en los que debía dirigirme al público.

He sido muy reacio a aceptar tratamiento médico para mi estado. La gente cercana a mí se me aproximó varias veces para ofrecerme distintas clases de tratamiento, pero generalmente me resistí. Parte de mi vacilación se debía a la invasión de mi privacidad que acarrearía un tratamiento y en parte a mi desconfianza de la atención médica.

No obstante, Bill Nicholson se acercó a mí varias veces, diciendo que debía ir a tal o cual especialista. Mis hijos también expresaron su inquietud y me presentaron varios planes propios. Finalmente, Bill me dijo: "Jay, ésta es la última vez que voy a ponerte a prueba en este tema, pero me sentiría muy mal si no lo intentara una vez más. Mucha gente me dice que creen que tienes Parkinson y pueden hacer algo para ayudarte. Esto es lo que puedes hacer, si estás dispuesto a hacer algo por ello".

Bill no tenía idea de lo que iba a estar dispuesto a hacer con respecto al Parkinson y a otras enfermedades.

CAPITULO 20

Herencia perdurable

Durante muchos años Betty y yo hemos contribuido al trabajo de organizaciones de caridad, hospitales, escuelas y otras instituciones valiosas a través de la Fundación Jay y Betty Van Andel. En realidad, ahora es más que nada una fundación familiar, porque nuestros hijos han sido incorporados al proceso de toma de decisiones y ahora ayudan a analizar contribuciones de la fundación. De esta manera, la herencia de la filantropía se enseña a la próxima generación.

Ahora, lo más destacado de la fundación es el Instituto Van Andel, una organización mundial de investigación independiente dedicada a preservar, aumentar y expandir las fronteras de la ciencia médica para beneficio de la humanidad. Representará una de las actividades filantrópicas privadas más grandes de la historia de la investigación médica, con el objetivo de lograr una calidad científica comparable a la del Instituto Howard Hughes, y de ser una fuente de adelantos médicos en el siglo veintiuno. La Junta de Consejeros Científicos del Instituto Van Andel representa, considerando sus cinco miembros, más de cien años de experiencia científica colectiva.

Algunas personas quizás se pregunten por qué, si yo menosprecio tanto la atención médica tradicional, el Instituto Van Andel de investigación médica es una parte tan grande de la planificación de mi legado. Para mí, no es incongruente porque, aunque no tengo una gran estima por los métodos tradicionales de atención médica, la investigación médica me parece fascinante. El cuerpo humano es una creación maravillosa de Dios y aprender todo lo que podamos sobre él es obviamente trascendental. Desde los primeros días en Nutrilite, siempre estuve muy interesado en conocer cómo la nutrición afecta la salud. La insuperable congregación de saber científico del Instituto Van Andel debería producir verdaderos progresos en ciencia médica, con implicancias importantes en lo referente a dolencias cardíacas, cáncer y enfermedades cognoscitivas y del sistema nervioso, como el mal de Alzheimer o el de Parkinson.

En la actualidad, no existe una cura definitiva o tratamiento para el mal de Alzheimer. Los científicos todavía no saben qué lo provoca, aunque los investigadores están trabajando sobre posibles causas del daño neurológico, como virus, deficiencias químicas, toxinas ambientales, deficiencias del sistema inmunológico y anormalidades genéticas. La enfermedad, que es la cuarta causa de muerte de adultos en los Estados Unidos, afecta aproximadamente a cinco millones de estadounidenses y causa dolor y pesar a amigos y familiares. Aproximadamente el diez por ciento de los estadounidenses mayores de sesenta y cinco años padecen lo que se supone que es el mal de Alzheimer y ese porcentaje aumenta aún más entre las personas mayores de ochenta y cinco años. Se desarrolla gradualmente, provocando que el enfermo pierda capacidad intelectual y se confunda y desoriente. Al principio, los únicos signos pueden ser una dificultad cada vez mayor para encontrar palabras o para finalizar pensamientos. Amigos y parientes quizás comiencen a notar pérdida de memoria, juicio perturbado y un cambio de personalidad. Cierta pérdida de memoria es parte del proceso normal de envejecimiento, pero el atrofiamiento del cerebro que causa el mal de Alzheimer puede hacer que los enfermos se pierdan en ámbitos familiares, que se olviden los nombres de parientes cercanos, que pierdan la capacidad de leer o escribir y que olviden cómo decir la hora o cómo usar una llave. Algunos son incapaces de cuidarse solos y requieren cuidado y supervisión las veinticuatro horas.

El mal de Parkinson, a diferencia del mal de Alzheimer, es un desorden del sistema motor. Mientras que las enfermedades cognoscitivas como el Alzheimer, reducen la capacidad del enfermo de pensar o recordar, los desórdenes motores afectan el movimiento o el habla. El mal de Parkinson puede causar rigidez, sacudidas o temblores, lentitud en los movimientos, y coordinación y equilibrio deteriorados. El diagnóstico del Parkinson es difícil, pero se estima que más de medio millón de estadounidenses padecen esta enfermedad. Se dice que el Papa Juan Pablo II, Billy Graham, la Fiscal General Janet Reno y Johnny Cash lo padecen. Los científicos descubrieron que la causa del Parkinson es la pérdida de ciertas células en una parte del cerebro asociado con la actividad muscular, pero el motivo de esta muerte celular es todavía desconocido. Una teoría relativamente nueva propone que algunas víctimas del Parkinson pueden tener una predisposición genética a esa enfermedad. El tratamiento comúnmente incluye medicamentos y cirugía en raras ocasiones.

Pensando en el potencial del progreso médico, me di cuenta

de que nuestra familia tenía una oportunidad única de dejar un legado a toda la humanidad que pocos imaginan e incluso menos personas pueden permitirse. Encomendé la realización de la parte más importante de mi legado a mi hijo menor, Dave, y al Dr. Luis Tomatis.

Dave, que preside la junta del Instituto Van Andel, guía su operación y supervisa la construcción del impresionante edificio nuevo. Mientras todos mis hijos han recibido algo de estímulo, a Dave se le encargó especialmente cuidar que se cumplan las intenciones que tengo para el instituto. Al mantener a la familia Van Andel involucrada de cerca, el instituto se mantiene lo más cercano posible al propósito que yo tenía al fundarlo.

Mi amigo el doctor Luis Tomatis, ex-cirujano cardiovascular y torácico, sentó las bases del Instituto Van Andel como su presidente. Luego de retirarse en 1995 después de una distinguida carrera en el Hospital Butterworth de Grand Rapids, el Dr. Tomatis dedicó su tiempo al desarrollo del instituto. Consultó a 146 investigadores experimentados de los Estados Unidos y de otros dieciséis países, visitó una docena de instalaciones de investigación similares y se encargó de darle forma organizativa al instituto. En el verano de 1996, el Dr. Tomatis convocó a dieciséis científicos a Grand Rapids como consejeros informales del flamante instituto. Este grupo le dio al instituto su primera orientación, al aconsejar que estableciéramos como primer campo de investigación la biología molecular y la genética. Seis meses después, el Dr. Tomatis había reunido una Junta de Consejeros Científicos de nivel internacional que aseguraría la calidad científica de la investigación del instituto.

La junta está formada por personas visionarias y brillantes reconocidas por sus pares como los mejores en su campo. Entre las personas contactadas estaba el Doctor Michael Brown, M.D., del Centro Médico de la Universidad de Texas en Dallas, que ganó el Premio Nobel de Medicina 1988 junto con el Doctor Joseph Goldstein, por su trabajo sobre el metabolismo del colesterol. Una vez que estuvo totalmente convencido de que estábamos decididos a crear un instituto que estaría entre los mejores del mundo, volcó sus energías inagotables como presidente de la Junta de Consejeros Científicos para convocar a su socio durante veinticinco años y co-ganador del Premio Nobel, Joseph Goldstein, M.D., del Centro Médico del Sudoeste de Dallas, perteneciente al Centro Médico de la Universidad de Texas. También fueron incorporados a la Junta Richard Axel, M.D., de la Universidad de Columbia; Daniel Nathans, M.D., de la Facultad de Medicina de la Universidad Johns Hopkins, y Philip A. Sharp, Ph.D., del Instituto de Tecnología de Massachusets. Estos dos últimos, también ganadores del Premio Nobel, ayudan a formar un impresionante grupo de estudio. Están encargados de seleccionar, dentro de los próximos cinco años, las otras áreas de investigación científica del Instituto Van Andel de Investigación y de ayudarnos a encaminar el predio de Grand Rapids.

El entusiasmo que todos sentíamos a medida que nuestros planes comenzaban a concretarse era contagioso. En diciembre de 1996, en la conferencia de prensa en la que se anunciaba el nombramiento de estos científicos, el Dr. Michael Brown resaltó:

> Estamos en presencia del nacimiento de algo que vivirá mucho más que nosotros [...] Esperamos crear un instituto que aplicará los aspectos más fuertes de la ciencia directamente a la prevención y a la cura de enfermedades humanas. Es muy poco probable que algún emprendimiento de esta envergadura alguna vez haya comenzado. Esto no es un acontecimiento cotidiano en el ámbito nacional o internacional. Esto es un suceso tan importante para el mundo como lo es para Grand Rapids, porque creemos que este instituto, tendrá la capacidad una vez concluido, de ser la institución líder de investigación médica en el mundo.

Esta Junta de Consejeros Científicos comenzó a enfocarse inmediatamente en algunas rutas de investigación prometedoras. Existen muchos esfuerzos consolidados de investigación orientados hacia las enfermedades, pero ellos creen que la ciencia debería estudiar ahora los mecanismos básicos del funcionamiento celular. Necesitamos saber cómo funcionan normalmente las células y tejidos y por qué dejan de funcionar o actúan de una manera tan anormal que producen enfermedades y muerte.

Investigaciones previas ya han sentado las bases de lo que nuestra junta se propone hacer. A medida que los científicos comenzaron a estudiar mecanismos celulares básicos, descubrieron que enfermedades aparentemente disímiles como el endurecimiento de las arterias (arteriosclerosis), el mal de Alzheimer y la artritis pueden tener el factor común de la inflamación crónica. Y la retinitis pigmentaria, una causa de ceguera muy común entre los ancianos, podría revelar una de las respuestas a nuestras preguntas sobre el cáncer. La retinitis pigmentaria es causada por la proliferación de vasos sanguíneos microscópicos (capilares) en la terminación del nervio que transmite las imágenes desde el ojo al cerebro. En los enfermos de cáncer, los únicos capilares que crecen están en el tejido tumoral. Si podemos descubrir cómo se estimula a estos pequeños vasos para que crezcan, quizás también podamos encontrar la manera de evitar que sigan creciendo. Podríamos matar de hambre al cáncer, que depende de ellos para su nutrición. Los tejidos normales quedarían ilesos. El mecanismo inverso podría usarse para estimular el crecimiento de pequeños vasos, para evitar o limitar el daño de los ataques cardíacos.

El centro de investigación médica comenzará a operar con un programa dedicado a ciencia genética y molecular básica y a investigación clínica. El objetivo fundamental será la prevención y tratamiento de enfermedades humanas. El Dr. Brown y los otros científicos de la Junta de Consejeros creen que al comprender mejor la composición genética de cada individuo, se pueden hacer recomendaciones específicas para evitar problemas de salud en otros momentos de la vida. El Dr. Brown explica la esperanza que ofrece el instituto:

> Lo que vemos delante nuestro es un mundo en el que la gente puede modificar su medio ambiente para adecuarlo a lo que sus genes demandan; por lo tanto, si descubre que tiene un riesgo particularmente alto de contraer, por ejemplo, determinado tipo de cáncer en base a su composición genética, usted puede tomar la combinación adecuada de vitaminas y nutrientes, que actuarán para que usted prevenga esa enfermedad. [...] En el pasado, teníamos que tener una serie de recomendaciones fijas e iguales para todos. Por ejemplo, recomendamos que todos siguieran una dieta de bajas calorías, aún cuando los médicos saben que dos tercios de la gente no necesita una dieta de bajas calorías. El problema es que no sabemos cómo identificar a esos dos tercios. [...] Cada uno de nosotros es un individuo bioquímico y la biología y la genética molecular moderna nos han enseñado cómo analizar los genes de cada persona para deducir qué es lo óptimo para ellos. No lo podemos hacer por completo en la actualidad, pero quizás en los próximos veinte años, con el Instituto Van Andel, podemos empezar a lograr algo de eso.

Como primera medida, el instituto buscará a los mejores cerebros de la investigación médica para trabajar en instalaciones centrales bien consolidadas y modernas. Luego el instituto se expandirá a otros predios dedicados a investigar otros temas, ubicados donde estén los mejores científicos e instalaciones de apoyo.

La investigación de las causas y potenciales curas para el mal de Alzheimer o el de Parkinson y otras enfermedades es prometedora, pero requiere mucho más apoyo. A medida que Estados Unidos cambia su aspecto demográfico y aumenta la proporción de personas ancianas, espero que los estadounidenses estén dispuestos a solventar esfuerzos para reducir los terribles efectos de estas enfermedades. Espero que mi propia contribución a la investigación médica sea seguida por apoyo creciente de parte de otros empresarios, fundaciones caritativas e individuos con inquietudes.

La organización y los fondos privados para la investigación en el Instituto Van Andel lo harán singularmente eficaz. Mientras que mucha investigación médica hoy en día resulta menos eficaz por la búsqueda continua y agotadora de fondos federales, el Instituto Van Andel podrá emprender amplias investigaciones de alto riesgo sin esclavizarse en esa continua pérdida de tiempo y mentes. En lugar de canalizar recursos para hacer cabildeo o de gastarlos en investigaciones comunes, los fondos del Instituto Van Andel fluirán directamente hacia las fronteras de la investigación.

Mi esperanza es que la investigación llevada adelante por el Instituto Van Andel sea verdaderamente innovadora. Se focalizará en aquellas cuestiones sobre la salud humana que las instituciones tradicionales de investigación no tienen en cuenta—esas áreas que no se investigan ni reciben fondos suficientes por la incertidumbre que representa el resultado. Para nosotros, representa dos ventajas: Primero, no duplicamos esfuerzos; segundo, al avanzar hacia las fronteras de la ciencia, podríamos recolectar recompensas significativas que otras instituciones se pierden. Dado que los fondos privados del instituto le permiten tener una visión a largo plazo, los investigadores son libres de dedicarse a una línea de investigación prometedora, aún cuando el resultado no sea un adelanto importante. La ciencia sólida y bien planeada que no llega a generar adelantos importantes sigue siendo buena ciencia que puede ayudar a otros a seguir la ruta hacia un gran descubrimiento.

Al darnos cuenta de que el Instituto Van Andel crearía empleos y generaría crecimiento económico en cualquier lugar en que se lo ubicara, ordené que Grand Rapids fuera el hogar permanente de la sede central del Instituto Van Andel. Más aún, para ayudar a la revitalización del núcleo de la ciudad, pedí que el edificio fuera construido en el centro. Además de alentar los negocios locales, la estructura representará una actitud amigable hacia hospitales, universidades y toda la comunidad. Abriremos el auditorio y los espacios públicos para las fuerzas sociales, religiosas, intelectuales y artísticas que dan forma a la ciudad.

Imagino una institución viva que dé empleo en el verano a estudiantes del secundario para motivarlos en los caminos científicos en un ambiente excelente de aprendizaje. Imagino a nuestros científicos de todos los niveles involucrados con las escuelas y universidades locales y a los profesores de ciencia locales asistiendo a nuestro instituto para perfeccionarse. Imagino a científicos de todo el mundo viniendo a trabajar a nuestro instituto e imagino congresos nacionales e internacionales en mi ciudad natal, atraídos por un centro de investigación médico líder. E imagino la mano del Señor dándole forma a nuestro legado.

Para ser consecuentes con la calidad de todos los aspectos del Instituto, contratamos a Rafael Vinoly, el arquitecto visionario que diseñó el Foro Internacional de Tokyo (Tokyo International Forum), una estructura de 129.000 metros cuadrados que se ha convertido en la marca registrada de la ciudad. Vinoly tiene varios proyectos masivos en diferentes etapas de realización: un edificio de tribunales de 150.000.000 de dólares para la ciudad de Nueva York, un estadio de treinta mil asientos para la Universidad Princeton e institutos de investigación para la Universidad de Columbia y para el Profesor Montaignier (que descubrió el virus del SIDA) de la Universidad de la Ciudad de Nueva York (City

University of New York). Nos impresionó su curiosidad insaciable, ingenuidad creativa y atención a los detalles. Vinoly nos ha diseñado un laboratorio bello y moderno. Se construirá en dos etapas. La primera etapa, un edificio de 9.200 metros cuadrados, comenzó en febrero de 1998 con fecha de terminación proyectada para finales de 1999. Nuestra esperanza es que el milenio nos encontrará de pie y andando.

En mayo de 1998, el Instituto de Investigación Van Andel contrató a un investigador y organizador muy talentoso, George Vande Woude, Ph. D., como primer director investigador.

El Dr. Vande Woude es un experto reconocido internacionalmente en oncología molecular (el estudio del comportamiento de los componentes celulares en el cáncer). Proviene del Instituto Nacional del Cáncer (National Cancer Institute, NCI) de Bethesda, Maryland, donde está desarrollando estrategias para reorganizar la investigación dentro del instituto. Este instituto, el emprendimiento de investigación científica básica más grande del mundo, está formado por 32 laboratorios y más de 180 investigadores sénior dedicados a comprender los mecanismos de la función celular, que finalmente puedan usarse para producir nuevos tratamientos contra el cáncer. Graduado en la Universidad Rutgers, el Dr. Vande Woude recibió muchos honores y premios, incluyendo su nominación para la Academia Nacional de Ciencias (National Academy of Sciences).

Estoy seguro de que es la persona apropiada para guiar los esfuerzos científicos de nuestro instituto.

EL AMOR SE HACE MAS PROFUNDO

Parte de mi profundo interés en la investigación médica y en el Instituto Van Andel surge de mi inquietud por el Alzheimer que sufre Betty, los recurrentes problemas cardíacos de Rich y mis recientes batallas con los problemas fisiológicos. Yo sé lo que es ver a los seres queridos sufrir las debilidades del cuerpo humano y ser testigo de su recuperación bajo el cuidado de expertos médicos. Mediante el Instituto Van Andel, he deseado que las bendiciones materiales que Dios me ha concedido durante mi vida, puedan usarse para reducir el sufrimiento humano y extender vidas.

En junio de 1997 Rich se sometió a un transplante cardíaco. Muchos años de problemas cardiovasculares habían producido daños permanentes en el corazón de Rich y la cirugía de riesgo era necesaria para darle más años de preciada vida. Los largos y angustiosos meses de espera de un corazón finalmente fueron recompensados, y Rich progresó muchísimo las semanas siguientes a la cirugía. Estoy convencido de que su optimismo y su profunda fe y las oraciones de miles de personas preocupadas por él, lo ayudaron a atravesar este difícil momento.

Aunque la operación fue en Londres, estuvimos en contacto durante la espera del corazón y su recuperación. Mientras hablábamos, me di cuenta de que las décadas habían fortalecido la amistad única que Rich y yo tenemos. Dios ha posado su mano sobre nuestras vidas y ha bendecido esa amistad de una manera que muy poca gente puede comprender. Durante más de medio siglo, hemos experimentado juntos tiempos buenos y malos, y todo se ha desarrollado para gloria de Dios. Ahora que los problemas de salud nos afligen a los dos, se me ocurre que Dios nos ha dado esta amistad humana para recordarnos su presencia continua en los momentos en que estuviéramos en problemas.

CAPITULO 21

Las anclas de la vida

Cuando amenaza una tormenta, los barcos grandes y las naves navegan a sotavento o a la parte de una isla refugiada del viento y se aseguran con dos o más anclas. Si las anclas lo sostienen, el barco no será arrastrado ni volcado por el viento o las oleadas. Anclas mal puestas, o con cadenas débiles, pueden poner en peligro la seguridad de todos los que están a bordo.

Todos debemos elegir varias partes de la vida para que nos amarren cuando aparezcan los problemas. Estas "anclas" deben ser confiables y seguras para que no fallen cuando más se las necesite. Ha habido tres anclas en mi vida— tres amarras que me han mantenido seguro y estable mientras el mundo se enfurecía a mi alrededor. Son mi fe, mi familia y mis amigos.

Mi fe religiosa ha sido mi ancla más confiable. Ha sido mi soporte principal y mi consuelo a lo largo de mi vida. Según la tradición de mis antecesores holandeses, nada puede sustituir la confianza en Dios, sentida desde lo profundo, para lograr ayuda y sostén. Fortalecido por la fe que mis padres me enseñaron, siempre tuve una estrella brillante para guiarme y la mano amable y amorosa del Señor para aferrarme. Su fortaleza me inspiró y me consoló en las horas más oscuras. Nunca estuve solo en mi vida, porque Él siempre estuvo conmigo.

Mi familia ha sido mi ancla más fuerte y mi mayor tesoro. Nada ha sido más preciado en mi vida que mi casamiento con Betty y los momentos maravillosos que pasamos juntos a lo largo de las décadas. Mi carácter holandés me ha hecho refrenar las manifestaciones de mis sentimientos pero, aunque haya dado la imagen de ser retraído, en realidad he dado y recibido mucho amor. Desde el día en que conocí a Betty la amé sin pausa y agradezco a Dios por permitirme el privilegio de seguir amándola.

Mis hijos han crecido reflejando la dedicación de su madre y nuestro amor. Están en camino de cumplir sus propios destinos de maneras especiales y diferentes, y los observo con gran orgullo.

Hace aproximadamente veinte años contratamos como mayordomo del *Enterprise* a un joven cubano que con los años se convirtió en el favorito de ambas familias cuando estábamos a bordo. Francisco (Frank) Padrón nos consentía a todos con su atención, sus modales refinados y su lealtad. Ambos confiábamos en él y lo queríamos mucho. Por lo tanto, tenía sentido que lo retuviera recientemente como mi asistente personal; Frank me ha hecho mucho más fácil la transición de estar sano a luchar contra el Parkinson. Su alegre cara es la última que veo a la noche y la primera que me saluda a la mañana. Su compañía y su apoyo son muy importantes en mi vida diaria.

Mis amigos han sido mi ancla de proa— me mantienen apuntalado en el viento para que no me rinda cuando parece que los problemas de la vida podrían hundirme. Le debo tanto de lo que soy a tanta gente que me ha ayudado a disfrutar de la vida aún en las tempestades más violentas. Cualquier lista de esos queridos amigos no quedaría completa, pero sería desconsiderado si no mencionara especialmente a mi mejor y más duradero amigo y socio, Rich DeVos.

De muchas maneras, Rich ha sido parte de mi familia, y yo de la suya. Es sorprendente lo que Dios ha hecho en nosotros dos desde que nos hicimos amigos hace casi seis décadas atrás. Rich y yo no sólo nos hemos complementado, sino que hemos llegado a ser lo que somos debido a nuestra amistad y a nuestra asociación. Otras personas que hayan disfrutado de un lazo de amistad cercano y vitalicio me comprenderán mejor. No tengo una receta para una amistad así, pero cuando encuentren a "ese amigo" lo sabrán.

Cada una de estas anclas me ha ayudado a resistir las tormentas de la vida. Dios ha sido verdaderamente bueno al darme fe en Él, bendecirme con una familia tan maravillosa y fortalecerme con buenos amigos.

Durante setenta y cuatro años Dios me ha bendecido con vida y aliento. Me ha dado la libertad de intentar, fallar y volver a intentar. Luego de muchos intentos me ha bendecido con el éxito. Es mi deber y mi gran privilegio compartir ese éxito con otros. A través de Amway y de mi propia entrega, he sido testigo de cambios positivos en las vidas humanas. Actualmente en todo el mundo, tres millones de personas experimentan la libertad y la satisfacción de desarrollar sus propios negocios mediante Amway. Muchos descubren que los emprendimientos propios pueden ser más provechosos que cualquier otra cosa que sean capaces de hacer. Algunos han dejado carreras como médicos, abogados y ejecutivos corporativos para desarrollar sus líneas de distribución a tiempo completo. Otros, frustrados por las barreras para reunir capital para comenzar sus negocios, han descubierto que Amway les provee un medio de acceso de bajo costo, al mundo de la autonomía laboral. Millones están aprendiendo habilidades gerenciales, habilidades "hacia la gente" y confianza en ellos mismos a lo largo del camino.

Las oportunidades que presenta Amway son el claro resultado de nuestra creencia en la libre empresa, la libertad y la libertad política. A través de Amway, los distribuidores sirven de "embajadores de la capacidad empresarial" a través del mundo. El resultado es que ciudadanos de ochenta países comparten actualmente los beneficios del sistema de libre empresa. Y comparten la esperanza de una vida mejor.

LA ESPERANZA DE LA CAPACIDAD EMPRESARIAL

Hace medio siglo, cuando Rich y yo manejábamos nuestra empresa de aviación, nunca imaginamos lo que surgiría a partir de nuestra asociación. Cuando miro hacia atrás, recuerdo cuánto nos divertimos y las importantes lecciones que aprendimos. Descubrimos el valor de la persistencia frente al desánimo. Aprendimos a balancear nuestras obligaciones empresariales y familiares y la importancia de la moralidad en la vida de un empresario. Aprendimos a trabajar arduo y a soñar en grande.

Cada etapa del desarrollo de Nutrilite, y luego de Amway, nos enseñó algo nuevo. Los primeros éxitos de Nutrilite nos dieron experiencia en venta directa y las bases para el Plan de Ventas de Amway. Sus últimos errores de gerenciamiento nos enseñaron la importancia de la fidelidad en los acuerdos comerciales y la necesidad de mantener buenas relaciones con los distribuidores. Los primeros años de Amway nos enseñaron cómo construir instalaciones fabriles de primer nivel y cómo guiar su crecimiento. Las batallas legales ofensivas y los ataques de los medios, entre finales de la década de los 70 hasta mediados de la década de los 80, nos enseñaron la importancia de mantener buenas líneas de comunicación con el gobierno y con el público. El impacto positivo que los dólares de Amway tuvieron en la zona de Grand Rapids y en todo el mundo, nos demostraron la necesidad de la ciudadanía corporativa.

Algunas de estas lecciones las aprendimos de una manera difícil, pero cada una nos ayudó a hacer a Amway más fuerte. Amway ha evolucionado al punto de que su extensa red de distribuidores es una fuerza potente en el mercado estadounidense e internacional. Muchas compañías ahora diseñan ideas de productos y campañas de ventas usando a los distribuidores de Amway como modelo de organización de mercadotecnia. Ahora Amway es mucho más que una compañía de jabón— los innumerables productos y servicios que Amway comercializa, se han ganado la lealtad de clientes y el respeto de la competencia.

Amway está destinada a ser mucho más grande de lo que es hoy, porque la oportunidad de perfeccionamiento personal e independencia que ofrece el Plan de Amway tiene atractivo universal. Amway brinda la posibilidad de cumplir un sueño que es común a gente de todas las naciones, todas las razas, todas las edades, todas las culturas y todas las profesiones. Si esa oportunidad puede ofrecerse de la misma forma y si los clientes siguen interesados en nuestros productos, Amway seguirá creciendo.

La capacidad empresarial no está muerta, a pesar de muchas limitaciones severas a la libertad de las empresas para hacer su trabajo. El éxito de Amway prueba que millones de empresarios están vivos e involucrados en el proceso de creación de riqueza. Los empresarios cumplen su parte en la economía— hacen crecer a sus negocios; aportan fondos para educación, arte e investigación; apoyan a sus iglesias y a las organizaciones caritativas y elevan la calidad de vida de todos. En cada país, bajo cada sistema económico, estos hombres y mujeres están luchando para crear una vida mejor para ellos mismos y para todos los que los rodean. A veces el gobierno trabaja con y para los empresarios; a veces pone trabas en el camino. Pero, más allá de lo que haga el gobierno para obstruir su trabajo esencial, los empresarios siempre estarán presentes. Y, mientras los empresarios estén con nosotros y vivan sus vidas moralmente, hay esperanza.

LA ESPERANZA DE LA CURA

Para mí, una de las alegrías más grandes de construir un negocio exitoso es la oportunidad de compartir la riqueza recién creada con otros. Tanto Rich como yo hemos hecho esto a nuestra propia manera y nuestros hijos también conocen la importancia de la generosidad. Mi prioridad al dar a otros ha sido expandir la esperanza de la cura.

La educación y la investigación médica del Instituto Van Andel devolverán con creces a la humanidad lo que la sociedad nos ha dado tan abundantemente. No puedo pensar en una mejor manera de llegar a la vida de cada persona en el mundo, que patrocinar la investigación que podrá extender la vida y reducir el dolor y el sufrimiento humano. No es un deseo de fama o de elogios públicos lo que me ha impulsado a fundar el Instituto Van Andel. Mi motivación está basada, primero, en mis experiencias personales con enfermedades que provocan incapacidades y que ponen en riesgo la vida. Cuando uno ha sentido durante mucho tiempo la desesperación y la impotencia de ver a un ser querido sufrir de una enfermedad larga, uno ha conocido la esperanza de saber que se están haciendo progresos en la investigación. Afortunadamente, ajustes en mi medicación me han hecho progresar recientemente, lo que me ha permitido contraer algunos compromisos limitados en los que debo hablar, además de vivir con más normalidad. Segundo, tengo la obligación de usar de la mejor manera posible los recursos que Dios me ha encomendado. Luchar contra la enfermedad y la muerte, que son resultado del primer pecado en el Jardín del Edén, para mí es un objetivo digno. Quizás, también la gente asociará mi nombre con el instituto y recordará que los frutos del capitalismo hicieron posible esa investigación invalorable. Si lo hacen, entonces he transmitido un mensaje con más fuerza y con más permanencia que en todos mis discursos sobre la libre empresa.

En el gran diseño del universo realizado por Dios, yo soy sólo una persona más. El Creador, en Su sabiduría, nos da a cada uno de nosotros diversos talentos, y Se complace en ver cómo nosotros los usamos para Su gloria. A mí, por alguna razón desconocida aún, Él me ha dado la oportunidad de diseminar Su mensaje de fe, libertad y esperanza a las muchas personas que Rich y yo hemos encontrado, tanto en nuestro negocio, como en nuestras vidas pública y privada.

Espero fervientemente que sus vidas sean un poco mejor debido a ese encuentro.

Jay Van Andel, co-fundador de la Corporación Amway, nació el 3 de junio de 1924 en Grand Rapids, Michigan. Es graduado del Colegio Secundario Cristiano de Grand Rapids (Grand Rapids Christian High School) y asistió a las universidades *Calvin College* de Grand Rapids; *Morningside College* de Sioux City, Iowa; Escuela de Negocios de Pratt, en Pratt, Kansas; y Escuela de Cadetes de Aviación de la Universidad de Yale de New Haven, Connecticut.

En agosto de 1952 se casó con la señorita Betty Hoekstra. Tienen cuatro hijos: Nan, Steve, Bárbara y David. El sentido de familia de Jay y Betty, demostrado en primer lugar en la crianza de sus hijos, trascendió los límites tradicionales, encontrando su camino en las relaciones originadas tanto en sus negocios, entre sus vecinos, la comunidad de Grand Rapids y más allá.

Años de dedicación reflejan la tremenda energía personal de Jay Van Andel— energía volcada a muchos y variados intereses, entre los cuales Amway no es menos importante. Amway es una de las empresas de venta directa más grande. La compañía ofrece más de 450 productos de marca Amway, miles de productos de marcas reconocidas a través del catálogo PERSONAL SHOPPERS, más una variedad de servicios y productos educativos. Estos productos se venden por medio de más de tres millones de empresarios que operan en 46 mercados afiliados. Representando la historia de un éxito fenomenal de espíritu empresarial estadounidense, Amway fue fundada en 1959 por Jay Van Andel y Richard De Vos. Su crecimiento no presagiado en las décadas que siguieron ha sido una fuente de inspiración y mejora para, literalmente, millones de personas en todo el mundo.

Así como la presencia de Amway se extendió a todo el mundo, lo mismo sucedió con la reputación de Jay Van Andel. En 1992, el Presidente George Bush nombró a Jay Embajador y Encargado General de la exposición Génova '92 por E.U.A. También fue Presidente de la Cámara de Comercio de los E.U.A., Director de la Fundación Gerald R. Ford, Presidente de la Comisión del Bicentenario holandés-estadounidense, y miembro de la Junta Mundial de Gobernadores del U.S.O. Es miembro del directorio de la Fundación Jamestown, del Instituto Hudson y de la Fundación Legado, además fundador del Instituto Van Andel de Investigación Médica y Educación de Grand Rapids, Michigan.

Premios y honores

Premio Legado Religioso de los E.U.A., Líder Profesional y Económico del Año (Religious Heritage of America, Business and Professional Leader of the Year), 1974; Premio al Gran Estadounidense Vivo (Great Living American), 1982.

Doctorados Honorarios de la *Northern Michigan University*, 1976; *Ferris State University,* 1978; *Western Michigan University*, 1980; *Grand Valley State University*, 1992; *Michigan State University*, 1997.

Premio Placa Dorada (*Golden Plate*) de la Academia Estadounidense de Logros (*American Academy of Achievement*), 1981.

Salón de la Fama de la Asociación de Venta Directa (*Direct Selling Association Hall of Fame*), 1987.

Mayor Salón de la Fama de Negocios del Area de Grand Rapids (Greater Grand Rapids Business Hall of Fame), 1989.

Premio al Logro del Programa Ambiental de las Naciones Unidas (United Nations Environment Programme), 1989.

Persona de Negocios del Año, Club de Economía de Grand Rapids (Economic Club of Grand Rapids), 1990.

Academia Internacional de Logros Ejecutivos en Ventas y Mercadotecnia (Sales and Marketing Executives International Academy of Achievement), admitido en la carta constitucional, 1993.

Premio Adam Smith a la Libre Empresa, del Consejo de Intercambio Legislativo Estadounidense (American Legislative Exchange Council), 1993.

Premio Edison, Asociación de Mercadotecnia Estadounidense (American Marketing Association), 1994.

Premio Clare Boothe Luce, de la Fundación Legado (Heritage Foundation), 1998.

Medalla de Honor George Washington, Fundación Libertades (Freedoms Foundation).

Medallas de Oro de las Sociedades Holandesas de Nueva York y Filadelfia.

Miembro de la Sociedad MENSA de los E.U.A.

Premio Patron, Fundación Michigan de las Artes.

Caballero, Gran Oficial, Orden de Orange Nassau-Holanda.

Miembro Honorario, Sociedad de Honores Nacionales Omicron Delta Kappa (Omicron Delta Kappa National Honors Society).

SU PRIMER AÑO EN EL NETWORK MARKETING

"Este libro será la Biblia del network marketing" -dijo Doug Wead, ex asesor especial del presidente George Bush.

Mark Yarnell y Rene R. Yarnell, dos empresarios entre los más respetados y de mayor suceso de esta gran industria le ofrecen a usted las estrategias para superar los obstáculos de estos primeros meses, posicionándolo para el éxito duradero.

Usted aprenderá: • Cómo encontrar y mantener vivo un sueño. • Enfrentar el rechazo. • Auspiciar y Entrenar. • Mantenerse enfocado. • Estar entusiasmado... ¡Y mucho más!

Este libro tendrá un fuerte impacto en las redes de MLM.

Este libro le abrirá los ojos y será una invalorable guía en su camino al éxito.

¡¡¡Usted no puede perdérselo!!!

"En este libro no encontrará fórmulas simples para hacerse rico rápidamente. Los Yarnell hicieron su fortuna mediante trabajo duro. Su fórmula para el éxito es severa y despiadada. Demanda trabajo arduo y persistencia sobrehumana pero para aquellos que la siguen, ofrece la esperanza realista de libertad económica genuina".

RICHARD POE, autor de Ola 3 y Ola 4.

Publicaciones para el año 2.000

RICHARD POE

OLA 3
La Nueva Era en Network Marketing

"Una máquina puede ser programada para ganar dinero. Una computadora puede llevar adelante un negocio. Pero sólo un ser humano es capaz de verdadera generosidad . Sólo un hombre o una mujer pueden disfrutar la profunda satisfacción que proviene de mejorar el mundo. Es en el reino de los actos nobles en el que la revolución de la Ola 3 deja su marca más clara y pura."

RICHARD POE

Ola 3 es el primer libro de Network Marketing en figurar reiteradamente en la lista de best sellers de los Estados Unidos. ¿Por qué? Es la perfecta introducción para personas provenientes de cualquier profesión.
Ola 3 es un estudio profundo que deja establecida sólidamente la credibilidad de esta industria.
Si Ud. busca una fuente de información independiente, que ayude a sus prospectos y nuevos empresarios a construir la comprensión y la creencia en esta industria la encontrará en Ola 3.

Ola 3, el libro que debe leerse por ser el que da comienzo a todo.

¡Lea el libro que sacó a la luz el Network Marketing! El galardonado periodista Richard Poe examina la tendencia revolucionaria que ofrece liberar al hombre de los penosos trabajos asalariados y brindarle la tan ansiada libertad financiera.

Este es un libro clave para el empresario del MLM del nuevo milenio.

Este libro marca la Revolución de la Ola 3.

OLA 4
El Network Marketing en el Siglo 21

La Ola 4 tiene dos tendencias dice Poe: El irresistible empuje de las compañías de Network Marketing dentro del territorio de las principales corrientes de negocios, y el profesionalismo de las principales corrientes de negocios que se suman a los procesos del Network Marketing. En este libro, el autor analiza entre otras cosas el gran poder que tiene el Network Marketing, en empresas como Primerica, un jugador dominante en la industria de los servicios financieros. Amway, el gigante que abastece bienes de consumo fundado en 1959, además de Quixtar, su nuevo y revolucionario Web site, y Rexall, una compañía con base en la Florida. Poe analiza cómo ellas y otras compañías de MLM se han subido a la tendencia de la Ola 4 hacia la riqueza en la economía del siglo XXI. Este libro documenta el ascenso del Network Marketing como el método de distribución más evolucionado existente en la actualidad, y muestra cómo la profesión se ha vuelto, aunque no del todo aceptada, sí preferida por todo tipo de negocios tradicionales alrededor del mundo.

"Una lectura espléndida no sólo para empresarios del MLM, sino para toda aquella persona que quiere prosperar en una economía del siglo XXI con base en los hogares.
Richard Poe surca esta tendencia con perspicacia y objetividad, presentando como nunca antes una inteligente visión de esta excitante frontera de negocios".

Dr. STEPHEN R. COVEY

IMPERIO DE LIBERTAD
La historia de Amway y lo que significa para usted

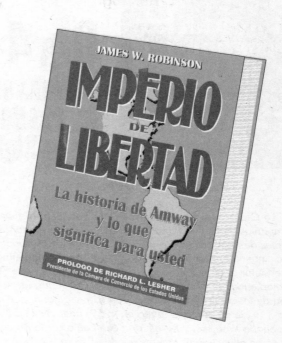

La primera exploración completa y actualizada del Fenómeno Amway.

En su interior descubrirá:

✓ La increíble historia que hay detrás del explosivo éxito de Amway.

✓ Cómo personas de diferentes estilos de vida alrededor del mundo han transformado su vida personal y profesional con Amway.

✓ Los avances tecnológicos que permiten hacer de Amway la más excitante oportunidad de negocios para el siglo XXI.

✓ Los secretos del éxito de los líderes top de Amway.

✓ Historias de gente de todo el mundo que han vencido la adversidad para lograr el éxito.

✓ También, cómo ellos han logrado la libertad en el trabajo y en la vida.

✓ Cómo Amway es realmente un "asunto familiar".

✓ Y mucho más!

IMPÉRIO DE LIBERDADE

A História da Amway e o seu significado para Você

PADRE RICO PADRE POBRE

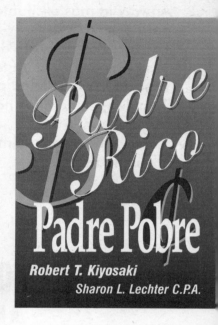

"La principal razón por la cual las personas luchan financieramente, es porque ellos han pasado años en escuelas pero no aprendieron nada acerca del dinero, el resultado es que las personas aprenden a trabajar por el dinero... Pero nunca aprenden a tener dinero trabajando para ellos".

ROBERT T. KIYOSAKI

Este libro cambió mi vida acerca del dinero. Padre Rico Padre Pobre es un deber para todos los padres que tienen la responsabilidad por la educación de sus niños".

CHERYL GORDER
Educador, autoridad en educación en el hogar.
Autor de «Escuelas en Casa, Una Alternativa» y
«Guía de recursos para la educación en el hogar».

Publicaciones para el año 2.000

El Cuadrante del Flujo del Dinero

"Este libro lo guiará para que pueda encontrar su propio camino hacia la libertad financiera en un mundo de cambios económicos siempre crecientes".
Robert T. Kiyosaki

Guía de "Padre Rico" para la libertad financiera

"El cuadrante del flujo del dinero" es la segunda parte de *"Padre Rico Padre Pobre"*. Es la historia de la vida de Robert Kiyosaki luego de su paso por la universidad, y el relato de su decisión de seguir los consejos de su padre rico en lugar de los de su padre pobre. La historia comienza en 1985, cuando Robert y su esposa Kim se encontraban sin techo. Hacia 1989 ellos eran millonarios.

Es una historia interesante que brinda muchas lecciones que pueden cambiar la vida del lector.

Este libro da respuesta a la antigua pregunta, *"¿Qué quieres ser cuando seas grande?"* Responde a esa pregunta porque "El cuadrante del flujo del dinero" trata acerca de los cuatro diferentes tipos de personas que conforman el mundo de los negocios: 1)empleados, 2) independientes, 3) empresarios y 4)inversores; y también, acerca de las diferencias en los valores esenciales inherentes a cada uno de ellos.

Es un libro escrito para...

- Personas que estén preparadas para moverse más allá de la seguridad de un trabajo y comenzar a buscar un mundo propio de libertad financiera.
- Personas que estén dispuestas a realizar profundos cambios profesionales y financieros en sus vidas.
- Personas que estén preparadas para pasar de la Era Industrial a la Era de la Información.
"Este libro trata sobre la elección de nuevas opciones, nuevos horizontes, y un nuevo futuro financiero."